北沢方邦

世界像の大転換

リアリティを超える「リアリティ」

藤原書店

世界像の大転換

目次

第二章　ニヒリズムに抗して――近代のリアリティを超えて　87

世界像の大転換

リアリティを超える「リアリティ」

序論

リアリティとはなにか

われらの上なる星空

一九七五年の夏、はじめてのホピ長期滞在のおり、もっとも心奪われたもののひとつは、この乾燥地帯の高原の星空のすばらしさであった。

上空の強い気流にまたたく満天の星、その多彩さ、火星やアンタレスのルビーのような淡い赤から、橙色、黄色、白色、そしてシリウスのエメラルドのような淡い青にいたるまで、ランダムにまき散らされたそれらの燦然としたきらめきは、私を圧倒した。

星空の神ソートゥクナングが整然と幾何学的に配置した諸星座を、いたずらもののコヨーテが後足で蹴散らしたがためにこのようになった、というホピのほほえましい神話を思い浮かべながら仰ぎみた視線をふと地上にもどすと、これも信じられないほどの星明りである。仄明りのなか、私と青木やよひの坐る断崖につらなる岩肌の白、石造りの家々の輪郭、祭りの準備の太鼓のとどろきや歌声が遠くからくぐもって聞こえるキヴァ（半地下式聖堂）の方角の、天文台を兼ねる三階建ての家屋のかぐろい影など、すべてがおぼろに映え、くっきりと見えるのだ。

「われらの内なる道徳律と、われらの上なる星空、カント！」というベートーヴェンが会話帳に書き残したことばを、私たちは同時に思いだし、口にした。カントに傾倒していたベートーヴェンも、夏の夜を過ごしたバーデンやボヘミアの温泉地で、仕事に集中した疲れを癒しながら、こうした星空を仰ぎみたにちがいない。

その『日記』のなかで、カントの『一般自然史と天文理論』の文章を引用し、敬愛の念を示していたベートーヴェンは、だが同時に他の個所で、万物すべては一者《ブラフマン》に収束するというインド哲学の深遠な思想をも書きとめている。カントとインド思想との出会い、それはベートーヴェンのなかで何を意味したか。

思想家ではない彼は、それを深く追求しているわけではない。だが鋭い直観にもとづいて書き記したその出会いは、彼の『第九』や後期の諸作品で、今もなおわれわれを魅了する音の万華鏡として表現されているといっても過言ではない。

たしかに、デカルト以後の主観性と客観性の二元論にもとづく西欧近代の哲学や思想の流れのなかで、カントは極端な主観主義者として位置づけられてきた。だがむしろ彼は、人間の主観性による認識の限界を追求したのであって、その限界の外にある《モノ自体》という語ほど、逆に彼の認識の深さを示すことばはない。しかも主観性による認識においても、人間が対象の全体を把握できるのは、われわれのなかに、つまり現代風にいえば脳に、先天的な《形式》がそなわっているからだとしている。言語学者のチョムスキーが、母語の習得は誕生後だが、習得可能にさせる言語能力は先天的だと主張し、獲得形質の遺伝を完全に否定する新ダーウィン主義者たちの猛攻撃を受けたが、カントは、はるか昔にそれを先取りしている。

さらに彼は、モノ自体を含めた自然と人間のあいだの全体的な関係を認識するために、判断力、とりわけ反省的判断力という概念を導入したが、人間にそなわる先天的形式とあいまってそれは、今風にいえば、宇宙や自然の構造と人間の思考の構造との対応を吟味する能力であり、それによってわれわれは世界全体を認識し、受容することができるとした。

ベートーヴェンが音で表現しようとした世界も同じである。たとえばピアノ曲『ディアベッリの主題による三十三の造り変え（変奏曲）』は、ディアベッリの提供した陳腐なワルツを徹底的に分解し、それら動機を自在に並べ替え、大胆に即興的に《造り変え》て、華麗な音の万華鏡を展開する。それはまた地下深くの謎めいた使信から天空の星々のきらめきにいたる多彩で自由な音のイメージを撒きちらすが、すべてはそれらを統一する一者（ドーソ、レーソの基底的動機）に収束する。造り変える主体は、造り変えられる客体と一者のもとに一体となり、宇宙的な戯れ《リーラー》を繰りひろげる。
これが彼のなかでのカントとインド思想との出会いなのだ。

見えない星空

人間の生活にとって不必要な過剰な人工照明や光の装飾の氾濫で、ほとんど星空のみえない大都会に住む多くの現代人にとって、ホピや古代人、あるいはベートーヴェンのみた夜空にあい対することはおろか、それを想像することさえできない。

夜空だけではない。われわれは、近代社会が数世紀にわたって築きあげてきた、あくまでも透明なガラス箱のような主観性の枠組みを通じてしか、ものごとを認識することはできないのだ。われわれにとっては、取り巻いている日常の道具や家具から、窓外に広がる風景、あるいはテレビやＩＴ器具の画面に映ずる異国の光景にいたるまで、この目にみえる世界がすべてであり、それが《リアリティ》である。

思考体系もそうである。ここに私がいて、五感を通じて脳に映ずるものを認識し、独自に判断する。といってもその判断の大部分は、メディアを通じてえられた知識や情報、あるいはその背後に存在する近代固有の価値観を、無意識に踏襲しているものにすぎないのだが、思考する私の存在自体が疑われることはない。

そのうえ主観と客観に二分されているといっても、客観的世界は五感に触れるものとしてそこに疑いようもなく存在し、ものごとや現象のすべての仕組みやあり方は、科学によって解明されている。知りたければ百科事典やインターネットで検索すればよい、というわけである。

たとえ信仰や宗教心があるとしても、それは個人の内面の問題であり、主観性の枠組みを超えるものではない。あの世や彼岸、あるいは天国を信ずるとしても、それは個々人の主観のあらわれであって、この目にみえる世界というリアリティを脅かすものではない。ひとびとの見る夢が、このリアリティを逸脱した他の世界の実在を語っているのではないのと同じである。

日常生活だけではない。知や科学の領域でも、いまだに多くの知識人や科学者たちは、こうしたデカルト的二元論に深く無意識に埋没し、それを超えた視点をもちえないため、科学の新しい視座を獲得できないだけではなく、みずからがよって立つ近代そのものの本質をも理解できないでいる。ましてこの二元論に立つかぎり、すでに述べたカントをはじめ、スピノザやルソーやゲーテといった、近代の枠組みを大きく超えた思想家や芸術家たちの本質の理解にいたらないのは当然である。

たとえばスピノザ哲学は、徹底した《実体》の一元論であるが、彼が記述様式に採用した当時流行のデカルト風「思考の幾何学」の表現にも惑わされて、それがすでに述べたブラフマン（梵）の一元論であるインド思想にも通底することは、まったく理解されていない。またルソーにしても、『社会契約論』で難解とされる「一般意志の民主主義」――イギリス流の「多数意志の民主主義」に対置される――の概念は、『人間不平等起源論』で彼が扱っているアメリカ・インディアンのロングハウス・デモクラシーを知ることで、きわめて明確に理解できる。

あるいはゲーテが晩年に到達した思想的境地は、ベートーヴェンが作曲しようとして果たせなかった『西東詩篇』や『ファウスト』第二部に典型的にみられるように、インドやイスラーム以前あるいは以後の中東の諸思想の深い影響下に創造されたものであり、近代の枠組みにとらわれるかぎり、その内奥の理解は不可能である。

そのことについては、いずれ詳しく触れよう。

近代の限界としてのリアリティ

いずれにせよ、この目にみえる世界がすべてであり、その認識は主観性の枠組みを通じてのみえられるという近代のリアリティ概念は、おのずからその限界を設定することになる。

すなわち、ひとつはこの世界を超えた世界があるかもしれないことを想定しない、あるいはそのことを認識の枠組みに組み込まないがため、関心や価値のすべてが現世化または世俗化されてしまう。

またそのことと裏腹の関係であるが、この目にみえる世界に隠されているかもしれない《隠されたリアリティ》——カントのモノ自体はその表現のひとつである——を無視するがため、一見この世界を律するかのようにみえる法則しか認識できない。

前者は、たとえ制度として宗教が存続するとしても、近代社会の果てしない現世化あるいは世俗化をもたらす。ひとびとは争って生活の利便や快適さを求め、政治や社会はそれを推進し、実現する経済合理性を最大限に追求する。とりわけ十八世紀末の産業革命以後、それは社会の定言命令となり、アダム・スミス以来、経済学は社会科学の王座につく。自然あるいは地球の隠されたリアリティが目に入らないがゆえに、自然とその資源は人間のための一方的な収奪の対象となり、その浪費は環境破壊と汚染をもたらし、いまや人類の生き残りさえ問われる状況となっている。

また経済合理性やその効率の追求は、ひとびとのためではなく、国家や諸企業、すなわち国益である資本主義経済の利潤のメカニズムのために行われるにすぎない。それはやがて、巨大な流動資金の瞬時の移動を可能にした情報テクノロジーの展開によってもたらされた、巨大金融諸機関や巨大多国籍諸企業の激烈な競争と、その果ての世界制覇を目指すグローバリズムを登場させる。グローバリズムこそ、近代のリアリティのハイパー的形態であるといっても過言ではない。だがそれが、みずから仕掛けた金融工学の陥穽におちいり、瓦解したことは記憶にあたらしい。

近代のリアリティの限界は、こうした物質的側面だけではない。たとえば知の領域である。ここではまず、この目にみえる世界の隠されたリアリティが問題となる。

近代の知のもっとも大きな誤謬は、《身体性《フィジカリティ》》についてのまったくの忘却あるいは無知にある。近代の知にとって、それが最初にして根本的なリアリティの欠如といえる。

医学や生理学がある、という反論がすぐ返ってくるだろう。だがそれらは、人間の身体の諸機能やメカニズムの分析とそれにもとづく治療であって、隠されたリアリティとしての身体性の認識ではない。

そもそも近代の知の主柱である近代科学が、人間科学と自然科学とに分裂し、無数の専門分野に細分化され、それらが相互に分断されているそのこと自体が、こうした問題の不在を示している。学問の総合性や学際的あるいは超学的《トランスディシプリナリー》な研究が叫ばれているが、主観性と客観性の二元論に立つかぎり、隠されたリアリティを見いだすことはできない。

たしかに宇宙や大自然、あるいは人間社会の複雑性を解明するためには、専門分野の細分化は必要であり、必然的であるといえる。だが隠されたリアリティを見いだし、それを含めた統合的なヴィジョンとしての認識を共有しないかぎり、それぞれの分野での突破口は開けないであろうし、真に先端的な研究とはならないといえる。

科学にとっての隠されたリアリティ

科学にとっての隠されたリアリティとはなにか。それが脱近代の知への鍵であり、本文の主題の中心となるものであるが、その輪郭だけでもここで描いておきたい。

たとえば人間科学である。近代の人間科学は、かつての観念論と経験論の対立に由来する主観主義と客観主義とに分裂し、それぞれの正当性を争ってきた。さらにまた、それらのなかでも、さまざまな方法論――それは価値観のあらわれでもある――が対立し、たとえば論理実証主義のように、絶対的な客観的記述を目指しながらも、結果として論理的に実証できるもののみがリアリティであるとする極端な主観主義に陥り、矛盾と破綻をあらわにする。

あるいは人間のすべての行動を、入力と出力、または刺激と反応との統計的関連としてのみとらえ、そこに介在する人間のいわゆる主体をブラック・ボックスとみなす行動主義は客観主義の極致であるが、そのブラック・ボックスのみに固執し、それを孤立した人間の不条理な実存とみなす実存主義という名の主観主義の極致と、それは見事な対照をなす。それらは一対となって、近代の人間科学の行きついた究極の袋小路を示している。

観念論・経験論の対立を問わず、これらすべては観念の所産であるといっても過言ではない。なぜならそこには、身体性が存在しないからである。

人間科学の身体性とは、人間の思考体系に隠されたリアリティである。つまり近代の人間科学が措定するのは、なによりも意識のレベルでの合理的思考であり、それにもとづく行動《プラクシス》である。無意識のレベルは、フロイトが発見したように欲望や情念が支配する非合理的な領域とされる。フロイトの発見は、社会的にも心理的にも合理性による抑圧がきびしい近代社会にのみ適用されるものだが、このことはいずれ詳述しよう。

だがチョムスキーの言語能力にみられるように、無意識の領域は非合理的なものではまったくなく、先天的に構造化されていることが明かとなってきた。むしろこの無意識の構造が、人間の基本的な思考とその行動（プラティークと名づけられている）を支配し、意識のレベルの思考と弁証法的な相互作用を行っているのだ。

これが人間科学の隠されたリアリティ、つまり身体性にほかならない。近代人間科学の限界を超えるためには、この隠されたリアリティを組み込む方法論を築きあげなくてはならない。

自然科学も同様である。

自然科学の隠されたリアリティ――物理学の場合

二十世紀初頭のアインシュタインによる時空概念とそれによる重力概念の大転換、さらに量子力学による微視的世界の異常なふるまいの発見は、近代自然科学の基盤をゆるがす事件となった。

だが量子力学、とりわけその主流となったコペンハーゲン学派は、その《異常》を巨視的世界から隔離された微視的世界に閉じ込めること、つまりデカルト的二元論を適用することによって、その基盤の安定をはかった。

一九二〇年代から八〇年代にいたるまで、コペンハーゲン解釈は絶対的な《信仰》とさえなり、そのうえに「標準理論」または「標準モデル」が形成され、それに対応する加速器など各種実験施設も完備され、微視的世界の解明はほとんど完成の域に達したとされてきた。

だが量子力学は発足の当初から、二元論にもとづく絶対的な矛盾あるいは逆理を内包していた。二元論に反対するシュレーディンガーは、「シュレーディンガーの猫」としていまなおポピュラーな論文でこの矛盾を突き、アインシュタインはポドルスキーとローゼンとの共同論文（EPR論文と略称される）で、量子力学にひそむこの逆理を指摘した。

さらにこれらの論文に刺激され、ボームやジョン・ベルは、巨視的世界・微視的世界二元論の前提である素粒子の独立性と局所性が誤っていること、すなわちそれらはたんに相互作用するだけではなく、粒子は対となって不可分な《もつれ（エンタングルメント）》状態を示し、その現象は巨視的世界にも大域的にひろがること、つまり非独立性と非局所性をもつことを証明してしまったのだ。

それだけではない。一九五七年にプリンストンの大学院生ヒュー・エヴェレットは、博士論文で恐るべき問題提起をした。微視的世界の《異常》な諸法則は巨視的世界をも支配しているのであって、量子力学の数式の前提となる無限次元のヒルベルト空間もたんなる数学的約束ではなく、それに対応する無数の世界または宇宙の実在的な記述である。われわれのみている世界が決定論的、つまり古典力学的にみえるのは、これら無数の宇宙が相互に直交している結果なのだと。

これを「多重世界解釈」または「平行宇宙理論」とよぶが、その後まったく黙殺されていたこの解釈は、八〇年代以後、袋小路に陥った「標準理論」に代わって台頭してきたストリング（弦）理論によって復活をとげる。点つまりゼロ次元である粒子ではなく、より微小ではあるが位相構造をもつストリングはハイパースパースとよばれる多次元を必要とするからである。さらにストリングは、量子力学では欠如していた重力をも表現していることが明らかとなり、アインシュタインが夢みていた電磁力・重力・強い力・弱い力すべてを記述する統一理論への展望を示すにいたったのだ。

こうして近代自然科学の最後の牙城であった局所的な量子力学は、隠されたリアリティを一元論的に統合することによって、いわば大域的な量子物理学へと変貌し、微視的世界から宇宙にいたるまでの一貫した理解を可能にする。

自然科学の隠されたリアリティ――生物学の場合

生物学でも同様に、脱近代科学への転換が模索されている。

たしかにダーウィンやウォレス、あるいはラマルクによる生物の「進化」の発見は、それ自体近代科学の枠組みを超えるものであった。

だがその後のメンデルの遺伝学との統合によってダーウィン主義が成立し、近代生物学の強固な基盤となった。またさらに第二次大戦後、DNA・RNAの構造や遺伝子の作用を解明した分子生物学——生物学における量子力学の地位を占めるといっていい——の偉大な発見にもとづき、遺伝子決定論としての生物解釈を提起した新ダーウィン主義（ネオ・ダーウィニズム）が台頭し、一時期、生物学界を圧倒的に支配する。それは、物理学におけるコペンハーゲン解釈と同様、近代生物学の牙城として輝くようにみえた。

だが一九九〇年代、その牙城をゆるがす発見や理論の登場があいついだ。それらの多くはウイルスやバクテリア、あるいは真菌類など微生物の行動にかかわるものである。すなわちそれら微生物は、寄生する宿主との相互作用によって両者の変異を起こし、このダイナミックな《共生《シンバイオシス》》によって進化をうながしてきたというのだ。それは、ダーウィン主義が進化の柱としてきた自然選択と突然変異とは、まったく異なる進化のパターンを示している（すでに十九世紀の末、植物の根に寄生する真菌類の研究での《共生進化》の発見に依拠し、人間の社会も共生にもとづくべしとして独自の社会主義理論を提唱した先駆者ピョートル・クロポトキンは、ダーウィンの理論を「適者生存」概念に結びつけ、弱肉強食の社会ダーウィニズムを唱えたスペンサーやT・H・ハクスリーをきびしく批判していた）。

さらに二〇〇〇年代には、環境との相互作用によって発生する後天的因子が、生物の遺伝子の配列、つまりゲノムに作用し、変異を起こすだけではなく、その変異を遺伝させる、という大きな発見があり、その問題を追及するエピジェネティックス（後発生遺伝学）が登場することになる。これはラマルクのいう獲得形質の遺伝の実証、あるいはチョムスキーの主張の実証であるとともに、新ダーウィン主義によってゆがめられた分子生物学を、本来の姿に再生させるものであるといえる。

たしかにそれによって自然選択と突然変異というダーウィン進化論の柱がまったく否定されたわけではないが、この共生進化とエピジェネティックスという新しい進化の柱は、従来のひろい意味でのダーウィン主義という近代生物学の根幹をゆるがし、進化論の脱近代的な書き換えをうながしている。

微生物の行動とその世界のある意味での《異常》——つまり微生物は宿主に対して同時に病変を起こす侵略者としてふるまったり、進化をうながす不可分な伴侶としてふるまったりする——は、近代生物学の視野には存在しなかった《隠されたリアリティ》にほかならない。だがこの隠されたリアリティの恐るべきダイナミックな弁証法を知れば、生物はまったく新しい相のもとにあらわれ、生命の概念は変革される。

それだけではない。この地球上では生物相互だけではなく、生物と無生物さえもが相互にダイナミックで複雑な共生とその進化の弁証法——別のいいかたをすれば複雑系の非線形な展開——を繰りひろげていて、それが、地球全体がひとつの生命体であるとするリアリティの新しい光景を描きだしている。

リアリティとはなにか

この目にみえる世界のみがリアリティであるとする近代のリアリティ概念は、これら科学の先端的部分ですでに崩壊している。

だがそれは逆に、近代のリアリティ概念が歴史的にいかに特異なものであったかを物語ってもいる。なぜなら、近代以前を含め、非近代社会では、《隠されたリアリティ》はつねに思考体系の前提であったからである。

たとえば、私に星空のたぐいまれな体験をさせてくれたホピである。ホピのひとびとはつねに「他界」を無意識の前提として考える。ひとそれぞれ、誕生後に他氏族の名づけ親に命名してもらった隠された名をもっているが、それを人に明かしてはならない（親しいもののだれかに間接的に教えてもらうことはできる）。日常的にはかつては仇名、現在では合衆国市民としての登録名で呼びあう。なぜなら隠された本名は守護霊をあらわし、生前も死後もそのひとを護るものだからである。

あるいは言語である。かつてウォーフはホピ語には時制がないと主張して言語学界の話題をさらったが、いまは現在形と、文末の動詞に接尾辞《ニ》をつける未来形の二種の時制があることがわかっている。だがこのニは、こうしたいといった意志未来を表しもするが、基本的には他界を前提としているといっても過言ではない。つまり人間の未来を含めて、未来は神々が統御する世界であり、人間がこうしたいと考えても、そうなるかどうかはまったく不明だからである。また日本語と違って必ず主語が置かれるが、それは主体や主観性、あるいはその対象を表現する欧米の言語とまったく異なり、トーテム氏族制という神話的背景のなかでの自他の差異の表現であり、宇宙論のなかでの自己あるいは他者の位置づけであるといってもいい。

日本の古代でも、すべてはこうした隠されたリアリティを前提としていた。そのうえそれは、目にみえる世界にも顕現するとされていたのだ。

たとえば天の神々とは、太陽であり、月であり、天空にきらめく星々、つまり諸天体であった。したがって無数の星々は「八百万《やほよろづ》の神々」と名づけられていた。地の神々（「くにつかみ」とも呼ばれた）は、かってはこの世を闊歩していたのだが、「国譲り」によってその支配権を天に譲り、隠れ世に隠遁してこの地球を守護することとなった。なぜなら地の神々は、人間の目にはみえないものだからである。だがその目にみえない姿は、山々や磐座《いわくら》や高木、滝や湖や波濤となって顕現し、また雷神のように、神木を伝って天地を昇降するものと考えられた。鳥や動物たちも、地の女神や男神たちの使者として現れ、人間にメッセージを伝えるものとされたのだ。

非近代のこうした思考体系は普遍的であり、西欧でさえも近代以前はそうであった。フランスのアナール派の歴史学者たちが明らかにしたように、西欧古代や中世の宇宙論の名残は、いまでも風俗習慣や民俗信仰、あるいは民間医療などに色濃く記されている。

これら古代や「未開」のリアリティ概念と、最先端科学のリアリティ概念とはまったく異なるといわれるかもしれない。そんなことはない。なぜなら、この世という目にみえるリアリティと、あの世または他界という隠されたリアリティを対応させ、それらを統合的に認識するこの普遍的な思考体系は、これらの場合ではプラティーク（無意識的行動）のレベルで伝承や慣習として機能しているが、古代インドや中国、あるいはギリシアやペルシアなどを含む古代・中世の中近東や地中海沿岸などでは、それはプラクシス（意識的行為）

のレベルでの集積として、哲学や思想というかたちで結晶するにいたったのだ。

アインシュタインは《実体》の一元論であるスピノザ哲学の本質を知っていたし、シュレーディンガーやデヴィッド・ボームはインド哲学に親しんでいた。これらの哲学の深い一元論と、隠されたリアリティをも統合的に認識しようとした彼らの物理学的一元論とは、それぞれの人間存在のもっとも深いレベルで照応しているといえよう。

この深い照応はなにを物語っているのであろうか。おそらくそれが語っているのは、認識論の問題だけではない。

いまなお近代文明の転換をヒロシマ・ナガサキという象徴が訴えているが、それに加え、二〇一一年の東日本大震災で崩壊した原子力発電所「フクシマ」は、近代文明の体系とその現実が破綻に直面していることを示した象徴といえよう。この文明の根本的転換のためにはなにが必要か。それはリアリティ概念の、さらにはそれにもとづく世界像そのものの大転換であり、宇宙や大自然の隠されたリアリティへの畏敬の念をとりもどすことである。人類はそれによってのみ生き残ることができるのであり、それによってのみ文明の転換という大事業をなしとげることができるのだ。

以下に、隠されたリアリティ概念をてがかりに、その道を探ってみよう。

1989年11月創立　1990年4月創刊

月刊
機

2020
2
No. 335

発行所　株式会社 藤原書店©
〒一六二-〇〇四一　東京都新宿区早稲田鶴巻町五二三
電話　〇三・五二七二・〇三〇一（代）
FAX　〇三・五二七二・〇四五〇
◎本冊子表示の価格は消費税抜きの価格です。

編集兼発行人
藤原良雄
頒価 100円

大地に生きる失われしアイヌ（人間）の精神性を追い求めてきた生涯！

今、アイヌの精神性を問う

『大地よ！　アイヌの母神、宇梶静江自伝』刊行にあたって

宇梶静江

昭和三陸地震のさなかに生まれ、幼年期から思春期、北の大地《アイヌモシリ》で差別を受けながら、貧しくも豊かな時を過ごした少女。二十歳にして勉学を志し札幌の中学に入学。卒業後、東京へ。やがて詩を書き、自らが人間《アイヌ》であることに目覚め、同胞《ウタリ》へ呼びかけるが、受け入れられず苦悶する日々。自らの表現を求める中、63歳にして、アイヌの伝統的刺繍法から、〝古布絵《こふえ》〟による表現手法を見出し、遅咲きながら大輪の花を咲かせる。苦節多き生涯を振り返り、アイヌの精神性、アイヌとしての生を問うた本格的自伝。　**編集部**

● 二月号目次 ●

大地よ
重たかったか
痛かったか
（「大地よ――東日本大震災によせて」より）

大地震の中での誕生

私の生まれは、一九三三年三月三日。この日は、私の出生にとっても、世の中の動きについても、のっぴきならぬことが起こった日でした。自然災禍です。

　この日、海辺にいた母親は産気づき、動けなくなりました。難産で苦しんでいたのですが、その夜、突然に、大地に大きな揺れがきて、大騒ぎになったそうです。あまりの揺れの大きさに、「これは津波が押し寄せるのではないか」と言って、人々は小高い山へこぞって避難しました。

　そんな騒ぎのなかでも、母の陣痛は収まらず、父も、付き添っていた知人のおばさん方も、避難することができなかったということです。しばらくして高波も収まりましたが、陣痛は続き、その日も暮れかかった頃、ぼたん雪が降りだしました。その雪の中を、父は町のお医者さんを迎え、そのお医者さんが、超未熟児の赤ん坊を取りあげてくださった。その赤ん坊がこの私です。

　この大きな揺れのもとは、本州の三陸沖で起きた大地震でした。震源地では、津波によって何千人という方が亡くなり、大きな被害を被っていたそうです。私の生まれた地は、北海道浦河郡荻伏村字姉茶。六人姉兄弟で、上に姉と兄がいます。この年上から三番目に生まれた者です。この年の冬場も、家族は浜辺の村、浜荻伏で暮していました。

　そのようにして、やっと生まれた私は、両手に入るくらいの超未熟児、しかもしわしわで、まるで猿の子のような児でした。身体も虚弱で、すぐにも命が絶えそうで、生んでくれた母でさえ、諦めかけるような状態であったと言います。すぐにも神の国《カムイモシリ》に戻りそうだと、父は仕事仲間の同胞たちと共に、神《カムイ》にお願いの祈りを二度、三度とあげたそうです。

差別される日々

　十一歳にもなると、町へのお使いに行かされます。私は字が読めたということもあって、役場に使いにいくこともありました。普段のお使いは、父が飲むドブロクを醸すための米麹や、お茶の購入といった目的です。

　ある時、私はそのお使いで、役場のある町に近い路を麹屋さんに向って歩いていました。すると、町の方から、私と年齢も変らない、姉妹と思われる二人が歩いてきます。彼女たちは、すれ違いざまに、「アッ、〝犬〟が来た！」と言いました。私は咄嗟に振り向いて足もとを見ました。けれども、そこに犬はいません。二人は、ニタッ、と厭な笑いを浮かべ、素知らぬ顔で歩き去って行きました。

その瞬間、私は立ち止まり、足を前に進めることができなくなりました。犬といえば、この町に来るまでの途中、農家の脇を通る時、猛烈に吠えて近寄って来る犬がいました。農家の大人たちは笑って犬をけしかけてきます。そんなことがあった直後なので、瞬間的に振りむいたのです。

歩き去って行った和人の子どもたちは、こんなふうにアイヌをバカにして喜んでいるのです。その笑いは、今でも心の中で「気持ち悪いな、あの人たち」と思うくらい、ゾッとするものでした。なんていうのか、あれが人間なのかと……。

赤い目のシマフクロウ（古布絵作品、1996年）
著者が最初に制作した古布絵

学校へ行きたい

姉が亡くなり、供養祭が終わった時に、家族も親戚も知り合いも囲炉裏の回りに集まりました。その場で、誰かが「静江も来年二十歳になる」と。私は十九歳になっていました。そこで誰かが「静江も来年は二十歳になるから嫁に」と言ったとたんに、私は咄嗟に「嫁には行かない」と言っていました。そして「私は小学校五年生から学校へ行く」と言ったものだから、母はびっくりしていました。

アイヌの子どもたちが、中学校とか高校に、万に一人ぐらいしか行けない時代でした。私は泣きながら言いました。「学校へ行きたい」と。その時に父が、言葉で助けてくれました。「これからは、子どもを立派に育てるためには、教育も必要だろう」と言ってくれたのです。それで、みんなの意見の流れも変って、私の学校行きが許可されたのです。

「古布絵」との出会い

一九七二年二月八日に『朝日新聞』の紙面をお借りして、同胞に向って呼びかけた記事「ウタリ達よ、手をつなごう」。この記事によって、私の、アイヌの同胞との交流が始まりました。

一九七二年の冬（二月）、私は三十八歳。そして古布絵に出逢ったのは一九九六年の初夏、六十三歳の時です。その間、私が辿ったアイヌ同胞との関わりは二十五年に及びます。この二十五年間、あの呼びかけから、古布絵を見出すまで、同胞との交流は、当初企図した目的の成就にはほど遠く、私は悩み続けていました。

ある時、友だちに誘われて、デパートで催されている古布、ぼろ布の展示を見に行きました。デパート内にはさまざまなぼろ布が展示されていました。その中で壁に掛けられたA４程の額縁に収まった布絵二点に、私の眼は釘付けとなったのです。「えっ？　布の絵！　布で絵を表現できる！」この時、私は瞬間的に、幼児期から求めていた何かが、目の前に出現し、今この時とぴったりと重なり合っていることを感じていました。

ほんの幼子であった頃、まだ弟たちの子守をしなくてもよかった頃、いつも布遊びに興じていました。三センチ四方の布切れ数枚が私の遊びの友でした。白い布で丸い頭を作ってもらい、テルテル坊主の頭のようなものに、その数枚の布切れを着せ替え、飽きず繰り返し、布のお人形さんと遊んでいました。

少し成長して、弟たちの子守をいいつけられるようになり、やがて親のお手伝いをいいつけられるようになると、布遊びに興ずることは許されません。そんなわけで、少しでも自分の自由な時間を見つけては、誰にも邪魔されない場所で、こっそり人形遊びをしたり、書物を読んだりしていました。

田や畑で働くようになってからは、野良着が破れると、布当てして繕います。この繕うという行為こそが私の貴重な布を使った手作業の時間でした。絵を描けば「絵では食べていけない」と、文字を読めば「読んでいる時間があれば働け」

と。追われ追われた時間の中で、それでも何かを創る、創作するということを望んでいました。読みたい、描きたい、そうした想いをずっと懐に仕舞い込んできました。

そのように生きてきた私の心を、その二枚の絵は、一瞬にして、夢や希望に満ちた時へ呼び戻したのです。「A4程の絵が布で描かれている！」頭にカッと血が上った瞬間でした。

私は直ぐにでも、布や糸が置いてあるわが部屋に飛んで帰りたい衝動にかられましたが、友だちと同道していたので、いくら感動したからとはいえ、勝手に一人で帰ってしまうのをためらい、はやる気持ちを抑えて、夕刻、彼女と別れた後、いそいそと部屋に戻りました。

しばらく布で描くその喜びの世界に浸っていました。そして、「そうだ！　フクロウを描きたい！」と思いつきました。なぜなら、三十八歳で思いを世に投げかけたあの時から、数々の願いを行政に請願してきましたが、壁は厚く、行政は視界を閉ざし、アイヌの存在はほとんど無視された状態が続いていました。そうだ、アイヌの村に住むシマフクロウの眼を真っ赤につくり「アイヌはここにいるよ、見えますか？」という意味を込めて描こう、と思い立ったのです。シマフクロウに託したいと気づいたのです。

これが布絵と創作シマフクロウとの出逢いでした。そして、これまでの私の活動と創作の世界が交わり、重なった瞬間でした。

（構成・編集部）

（うかじ・しずえ／詩人、古布絵作家）

ブルデュー社会学の集大成であり、畢生の大作、完訳、三部作完結。

我らが悲惨な国家——『世界の悲惨』の意味

ピエール・ブルデュー

社会学者ピエール・ブルデューの畢生の大作『世界の悲惨』の完訳が、原書刊行後四半世紀にして、今月遂に三分冊完結となる。発刊直後、『レクスプレス』誌に掲載されたインタビューを抄録する。（聞き手＝S・パスキエ）

（編集部）

「国家の後退」の社会的意味

——社会的苦痛に対して、普通には沈黙してしまっているこのフランスですが、左翼が政権の座にあれば、一層の連帯をもたらすことができるとお考えでしょうか？

この二〇年の間、私たちが目にしてきた政策は、驚くべき一貫性を示しています。一九七〇年代、政治学院で教えられていた新自由主義的ヴィジョンが力を持ち始め、その次の段階で、国家の後退の過程が、一層はっきりと明確化しました。

一九八三年から八四年頃には、私企業と利潤の崇拝と結び付いて、社会党の指導者たちは、集合的なメンタリティの根底からの変化を作りだし、マーケティングの全般的勝利につながりました。文化さえもそれによって汚染されています。政治においては、最悪のデマゴギーを基礎づけるために世論調査が利用されることが常態となっています。一部の知識人たちは、この集団的な転向に加担しました。この人たちは、少なくとも指導者層や特権者の間では、十分すぎるほどの成功を収めています。問題を混同し、混乱した思想に身を任せて、経済的自由主義が、政治的自由の必要にして十分な条件であること、その逆に、あらゆる国家介入は「全体主義」の脅威を内包しているということを示すことに努めたのです。彼らは、悪辣にも、不平等——彼らは、これを不可避だと判断しているわけですが——と闘おうとするあらゆる取り組みを、まずもって非効率的であり、それに加えて、それらは自由を犠牲にすることなしには行ないえないと論証しようとしてきたのです。

——つまり、彼らは、国家の本質的な機能をあげつらっているわけですね？

そのとおりです。私たちが知っている

ような――というより、おそらく、知っていたと過去形でしか語れませんが――国家は、その公の目的が公共奉仕、公的なものへの奉仕、一般利益への献身であるという、極めて独特な、ひとまとまりの社会的空間なのです。このすべてを嘲笑すること、例えば公的な目的や公共財の横領について知られているさまざまなあり方をあげつらうことは可能です。しかし、そうであっても、公式のもの――そして、私するためにではなく、奉仕するために権限を委任されている公式の人物――についての公式に存在する定義は、並はずれた歴史的発明であり、芸術や科学と同じ意味で、人類の達成成果なのです。退化と消滅の脅威に常にさらされている脆弱な獲得物ではありますが。このすべてが、今日過去に、そして時代遅れのものへと追いやられているのです。

――国家の後退は、社会的現実のなかでどのような意味があるのでしょうか？

一九七〇年代以降、住宅分野で、社会的な住宅への援助を後退させ、持ち家の取得を促進する政策によってそれは始まりました。ここでもまた、集合住宅を集団主義に結び付け、個人の小さな持ち家に政治的な自由主義の基盤を見出す、インチキの等式がもとにあるのです。そして、個人的なものと集団的なもの、持ち家と借家の二者択一をどう逃れるかは、誰も問題にしなかったのです。例えば、諸外国で行なわれているように、公営の一戸建て住宅を賃貸するという提案はありませんでした。右派のもとで以上に左派政権のもとでも、想像力は権力についていません。そして、我らが優秀なテクノクラートが予想していなかった結果にたどりついたのです。これらの空間は、もっとも恵まれない人びと、すなわち、より快適な場所に逃げ出す手段を持たない人びとが、そこに集中する吹き溜まりになってしまったのです。そこでは、経済危機と失業の影響のもとで、多少なりとも病理的な現象が増加し、今日では、テクノクラートの新しい委員会がそれを扱っているのです。

各社会的条件や位置の悲惨さについて

――（『世界の悲惨』に登場する）北フランスの団地の二人の若者、フランソワとアリ、チュニジア出身の労働者と郵便区分け所の女子労働者、文学の教員と組合活動家、これらの人びとの間にどのような共通点があるのでしょうか?

　もっとも目に見える社会的苦悩は、もっとも恵まれない人びとの間に見られますが、より見えにくい苦痛は、社会世界のあらゆるレベルにあります。近代社会が、たがいに独立した複数の下位空間、社会的なミクロコスモスに分化しているというのは、そのもっとも主要な特質の一つです。それぞれの社会空間には、それぞれに固有のヒエラルキーがあり、それぞれの支配者と被支配者がいます。特権的な世界に所属しているが、その中ではぱっとしない地位しか占めていないということがありえます。例えば、パトリック・ジュースキントの戯曲『コントラバス』で描かれる、オーケストラの負け組演奏家などです。優越する者たちの中で劣位にある者たちの相対的な劣等性、トップ組の中のビリは、条件の悲惨には還元できないにもかかわらず、それと同様に現実的であり深刻である、位置の悲惨を定義するものです。

――社会学者は、自分が話を聞いている人の苦悩や憤りを本当の意味で理解できるのでしょうか?

　その人が、社会世界において、占めている場所を見抜くことができれば、より厳密に言うと、ミクロな社会世界、〔勤務している〕企業なり、部門なり、部署なり、〔住んでいる〕地区なり、建物なりの中において、その人が、どこに、投資＝備給をしているのか、その人にとっての賭け金、情熱が、どこにあるのかを見抜くことができればです……。思考の中で自らをその場所に置く、本当の意味で、その人の立場に自分を置くということです。

――この問題を考えることは、なぜ重要なのでしょうか?

　それは、これらの悲惨は、極限的な悲惨以上にではないにしても、それらと同じ程度には、人種差別主義や排外主義といった、しばしば一見すると理解しがたい、政治的な表象や政治行動を生み出しているからです。そしてそれに対して、憤りを対置したり、説教を垂れたりすることしかできていません。そしてまた、それらに苦しんでいる人びとは、苦悩や失望そして絶望を糧にしている、国民戦線を始めとする、犯罪的なデマゴーグである政治屋たちが喰いものにするのに、おあつらえ向きだからです。

経済主義を超えて

――国家の機能については、いかがお考え

でしょうか？

自由主義と社会主義の通常の二者択一——思考を硬直化させる二元論の一つです——を退けなければ、国家の機能を定義するのは不可能です。少なくともその厳密でラディカルな定義においては、二つのシステムは、社会世界の複雑さを経済の次元に還元し、政府を経済に奉仕させるという共通点があります。生産性と経済的利潤のみを考慮した政策がもたらす、社会的コスト、そして、最後まで分析すればですが、経済的コストがどれほどのものであるかを考えれば、十分にわかるはずです。

▲P・ブルデュー
（1930–2002）

経済主義は、実践の完全な定義、完全に人間的な定義を、致命的に損壊してしまうということを推して知るべきです。失業、貧困、搾取、排除、つまり非人間化は、個人の苦悩だけでなく、アルコール中毒や薬物あるいは自殺によって、他者と自分自身に向けられた暴力という代償をもたらすのです。

——それが『世界の悲惨』の意味だということですね。

その一つです。私はつくづく思いますが、もし、我らがテクノクラートたちに、国家会計の中に、あらゆる形態の苦悩と苦悩の経済的なあるいは経済外的な結果を算入する習慣があれば、自分たちが成し遂げたと思っている節約は、しばしば極めて間違った計算だということが分かると思います。

（櫻本陽一訳）

（ブルデュー『介入I』より／構成・編集部）

第10回「河上肇賞」を受賞した気鋭の野心的作品。

日本の「近代家族」はどのようにして誕生したか

『近代家族の誕生――女性の慈善事業の先駆、「二葉幼稚園」』刊行にむけて

大石　茜

慈善事業の支援との触れ合い

日本における近代家族の成立は、大正期に新中間層が台頭したことにはじまり、戦後になって全国的に普及したと考えられてきた。サラリーマンの夫と専業主婦の妻によって構成された核家族が、子どもへの愛着に基づき子育てする家族が、典型的な近代家族と考えられてきたと言えるだろう。しかしながら、家族の変化は、新中間層という一部の階層でのみおこっていたことなのだろうか。

本書では、明治末・大正期の都市下層の家族と、そこに介入していった慈善事業から、近代家族の成立を捉え直すことを試みる。家族を形成・維持することの難しかった都市下層が、慈善事業の支援と接触することで、近代家族というあり方をどのように取り入れ、どのように生活を変化させていったのか。二葉幼稚園という一つの事例から、その変化を丁寧に拾い上げていく。

女性による下層家族への介入

本書で扱う二葉幼稚園は、一九〇〇（明治三十三）年に野口幽香《ゆか》（一八六六―一九五〇）と森島峰（美根とも書く、一八六八―一九三六）によって、東京・四谷に設立されたキリスト教系の慈善事業で、日本の先駆的保育事業として知られている。当時東京には貧民窟《ひんみんくつ》と呼ばれるスラム街が数多く存在していた。

二葉幼稚園は、明治の三大貧民窟の一つと呼ばれた四谷鮫河橋の子どもたちを対象とした事業を展開した。二葉幼稚園は今日も社会福祉法人二葉保育園として存続しており、二葉乳児院、二葉学園（児童養護施設）、二葉むさしが丘学園（児童養護施設）、二葉南元保育園、二葉楠木保育園を運営している。

数ある事例の中で、二葉幼稚園をとりわけ興味深いものにしているのは、女性による下層の家族への介入という特徴である。戦前の慈善事業と聞くと、その担い手の多くは女性であったと想像される

だろう。しかし実際には、日本の場合、理論的先駆者も実際の従事者も男性が圧倒的に多かった。そのような状況において、二葉幼稚園という存在は、参政権もなく政治的な権利に乏しい女性が、社会的な役割を認められ活躍した稀有な例である。本書では、この特殊な事例が成り立った背景の分析と、その社会的意義を、都市下層の家族との関わりに着目しながら検討していく。

▲野口幽香（左）と森島峰（右）
（『二葉保育園八十五年史』所収）

「近代家族」という共同性の構築

二葉幼稚園は、政府の意図や社会状況に影響され、利用されながらも、逆にそうした社会的背景を活かし、新たな領野を開拓していった。その際に大きな鍵となったのは、「近代家族」という共同性の構築であった。

こうした二葉幼稚園の事例の分析を通して、善意による事業が、単に国家に盲目的に動員されているのではなく、動員に巻き込まれながらも同時に、国家の意図とは異なる展開があり、独自の仕方での社会に変化をもたらしていたことを示したい。（「序章」より）

（構成・編集部／全文は本書所収）

（おおいし・あかね／筑波大学博士課程）

「公共（public）」とは何か!? 現代の諸問題を「公共」から見る。

世界の公共のあり方を問うことは、職場の日常のあり方を問うこと

『公共論の再構築――時間／空間／主体』刊行に向けて

中谷真憲

市場拡大の結果、世界に「外部」が無くなった

これまで企業活動が私的領域に位置づけられてきたのは、一つ一つの企業の活動は、私人による私的利益の追求行為であるとされてきたからである。他方、公共性とは、本質的に自己の世界に内在するものである。自己にとって無関係と認識する問題は、関心の対象とはならない。自己と深く関わると認識してはじめて、その問題は公共的なものとなる。これは二重構造である。

つまり、問題が自己とひと続きの中にあり、自己を世界の問題群の一つとして客体化しえた時に、自己のあり方（活動）が公共性の対象として意識される。つくり手の責任であれ、ジェンダー平等であれ、気候変動であれ、途上国の貧困問題であれ、同じことである。ＳＤＧｓ（持続可能な開発目標）が示しているのは、企業はそれらをよそ事、自己の世界の外部にあるものとして考えることは、もはやできなくなってきたということである。

ではなぜそうなったのか。それは、企業活動にとって、世界に「外部」がなくなったからである。利潤を追い、成長を追うシステムとして市場を拡大してきた結果、つまり次々に「外部」を市場に取り込んできた結果、地球全体が「内部」化されてしまった。地理的な意味だけではない。従来は、経済の外にあるとされてきた文化やアートの分野、あるいは政府活動領域にいたるまで市場化が進んだ。かくして経済にとっては逆に逃げ場がなくなったのである。征服すべき対象はなく、今や経済が世界そのものになったのである。

経済自身が経済のあり方を見直すしか、行き着くところはない。かつて資本主義は、その内部のプレーヤー（企業）にとってはむしろ制御しようのない自動システム＝外部システムであった。しかし、自動システムとして世界の隅々までも市場化したがゆえに、この資本主義のあり方自体を問い直すしか経済にとっての「外

部」はなくなった。こうして逆説的なことに、多くの企業にとって、資本主義が極大化しつくしてはじめて、資本主義そのものが客体化され内部化され、自己自身の問題として認識される契機を得たのである。

企業の活動は、具体的には職場における個々の生産活動であるから、経済システムを問い直すことは職場のあり方を問い直すことにつながる。**世界の公共のあり方を問うことが、職場の日常のあり方を問うこと**につながってきたのである。企業と公共との関わりに関して、SDGsのもつ意味はこのような文脈でとらえるべきかと考える。

「経済」は市場社会だけではない

本来、市場社会だけが「経済」なのではない。私たちは資本主義の下の市場社会に慣れすぎて、交易(貿易・商業交換)、貨幣、市場を備えた市場社会を経済の姿そのものと考えがちだが、市場社会はむしろ広い経済の中で、そして歴史上でも、例外的な領域である。

ポランニーに従えば、原始社会の経済は互酬、古代社会のそれは再分配であり、近代社会のみが市場に基づいている。市場社会を構成する交易、貨幣、市場の起源もそれぞればらばらであり、その三つの組み合わせがつねに存在するわけではないのだ。

マリノフスキーの先駆的な研究が考察しているように、南太平洋トロブリアンド諸島の島々の間の「クラ」は、ソウラヴァ(赤い貝の首飾り)とムワリ(白い貝の腕輪)を用いた儀礼的な贈与交換のシステムである(ポランニーは互酬の代表とする)。交易として自立しているのではなく、念入りな儀礼の中に埋め込まれたものとして存在している(『西太平洋の遠洋航海者』)。

そもそも、交易つまり利潤を目的にした商業とは、外部の共同体との間で発生するものである。マルクスも、商品交換は共同体と共同体の間に発生する、と。ただ、マルクスはこの関係を機能的に見過ぎていたかもしれない。その間には、内部に入りきれない外部(周縁部)の問題が隠されているのに。日本に目を移しても、江戸期の平戸も安土桃山期の堺も、他領とは異なる独自の統治形態を認められていた。

(構成・編集部/全文は本書「終章」より)

話題の全著作〈森繁久彌コレクション〉（全5巻）！ 第3回配本

森繁さんとの東宝での十五年間

宝田 明

ともに満洲からの引き揚げ者

私は昭和九年（一九三四年）生まれで、森繁さんとは常に二十年という歳の差があります。私が東宝に入りましたのは昭和二十九年（一九五四年）、最初に主役をいただいたのは「ゴジラ」でした。東宝に入りましたら、森繁さんという俳優がいて、一年後には私も現場で仕事をしておりましたので、シゲさんとすぐ話すことになりました。

「宝田君、君はハルピンから引き揚げか。俺は新京だ」「ああ、そうでございましたか」と、同じ満洲から引き揚げということで、肝胆相照らすと言いましょうか、いろんな話をしていただく御縁となったわけです。

私が東宝に入った時はちょうど二十歳、森繁さんが若々しい四十歳。私が三十の時は、森繁さんはバリバリ仕事をした五十歳。私が東宝で約十五年間、映画に出ておりました時、常に二十歳年上の森繁さんという方が大先輩でいらっしゃった。二人とも同じ満洲の気候風土の中で終戦を迎え、森繁さんはソ連の兵隊にピストルで撃たれそうになったり、私もソ連兵に撃たれて死ぬ思いもしましたけれども、そんなことを、森繁さんとは二十年の歳をのりこえて同じように語り合ったことを、今、夢のように思います。森繁さんと同じ撮影所での仕事、また舞台で一緒に仕事ができ、森繁さんを知ることができたということは、私にとって貴重な財産だし、誇りに思っております。

格調高い話術

森繁さんはアドリブで有名ですが、どのカットでも最後にちょろっと面白いことを言うので、スタッフがみんなくすくす笑ってしまう。監督も笑っちゃうんです。つまり人間の機微をついて絶妙なのです。ところが、テストを四、五回やって、さあ本番となると、アドリブを言わないんです。

「おい、宝田、おれはアドリブを言う

役者だとみんな思ってるだろうな」

「思ってますよ、おもしろくて」

「ところが俺は、その中で本当に二つか三つしか使っていない。あとは言わないんだ」

　本番の時は、エッセンスしか言わない。「ああ森繁久彌、アドリブのうまい人」と言われますが、とんでもありません。アドリブに思えるようなしゃべり方をするんです。決してアドリブではない。井手俊郎、笠原良三が書いた台本通りにしゃべっている。でもアドリブでしゃべっているように聞かせる、見せる。すごいと思います。

　それから、ロケーションに行きまして、深夜までロケバスの中で若い俳優さんもみんなで待つわけですけれど、そこで話し出すその猥談が、楽しくてしょうがない。もちろん女優さんたちもいるんです。最初のうちはみんな笑ってるんですが、そのうちに、あんまりお話が上手なので、若い女優さんも涙を流してしまう。僕も思わずほろりとして涙を流す。話術の優れた才能があるということが、そこでわかったわけです。格調高くしゃべってくださるものですから、話術で聞きほれてしまう。

　満映（満洲映画協会）の理事長だった甘粕大尉のいる夕食会に呼ばれて、「おもしろい話をやれ」と言われて、なんと猥談を話したことがあったそうです。「非国民だ」と斬られそうになったそうですが、終わった時は拍手喝采。なんと度胸をもった男だと、甘粕大尉はすっかり森繁さんのファンになったそうですよ。

　約十五年間の東宝時代、森繁さんの楽しい話を伺いました。大変思い出深い方で、百年に一人出るか出ないかの俳優ではないかと思います。時代劇では長谷川一夫さんでしょうが、現代ものでは森繁さんにまさる方はいない、名優中の名優だと思います。（談／全文は第三巻月報所収）

（たからだ・あきら／俳優）

〈特集〉石牟礼道子さん 三回忌に思う

読まれることを待つ石牟礼文学

三砂ちづる

心のこもった訃報記事

二〇一八年二月十日に石牟礼道子が亡くなってから、二年。三回忌を迎える。石牟礼道子の死は大手新聞の一面で報じられた。『毎日新聞』西部本社版では、一面であるのみならず、トップ記事、という扱いであった。作家の死でこのような扱いは、多くはないと思う。

　東日本大震災後、石牟礼道子の仕事は、いっそう注目されるようになっていたし、『石牟礼道子全集』の完成、池澤夏樹編集の『世界文学全集』への日本人作家としての唯一の収録、などをふくめ、彼女の文学自体が再評価されていったことがもちろん大きいのだが、同時に、彼女が最後まで主要な新聞での連載を続けており、結果としてその連載担当記者たちに看取られて亡くなったことも、多くの新聞での訃報記事に心がこもっていたことの所以ではあるまいか。

　晩年の石牟礼道子の部屋には、いつも連載原稿を待つ大手新聞の記者たちの姿があったという。まさに、死ぬ間際まで、周囲に支えられて仕事を続けた作家であり、その才能と人柄のおかげで、豊かな文学的遺産は、私たちの元に残された。

〝世界文学〟としての石牟礼文学

　彼女を一貫して編集者として支え続けた渡辺京二は、石牟礼文学は近代日本文学の中に置くと違和感があり、その異端性が目立つが、世界文学の中に置くと、その異端性は消える、と述べている。[*1] ガルシア・マルケスや、マリオ・バルガス＝リョサ、カルペンティエールなどラテンアメリカ現代作家の中に置くと、全く違和感がない。近代以前、文字文化以前の世界の受け止め方とその表現において、多くの共通点がある、というのだ。

　まさにリョサは、プリンストン大学における講義において、「小説は、生活の中心が農村から都市に移ったときに生まれた」[*2]と言っている。農村の生活は詩を生み出すけれども都市は物語の発展を促し、それは世界中どこにでも当てはまる、と。

前近代の人間と人間ならざるものとの交歓をえがいてなりたつ石牟礼文学である。前近代の、「目に一丁字も」なく、精霊の世界に生きる民の世界が近代と出会う時に生じるあつれき、魂のおきどころのなさ。それこそが彼女のテーマであり、苦しみであった。この世とうまく折り合いがつけられずに苦しむ彼女の自我は、水俣を出て、熊本、そして東京と出会い、あるいはサークル村やさまざまな「都市の」活動を経て、独特な形になってゆく。非常に近代的な作家なのである。

▲石牟礼道子(1927-2018)

才能が生み出した独自の表現

あまり多くの本を読み通しておられないというが、彼女の天才性は、何らかの文学の形式をちらっと目にし、あるいは耳にすれば、瞬時に自らのものとすることができ、そこに自らの世界を独自の文体でのせていくことができたことにある。国語の教科書を見れば、文章の書き方を会得し、詩にふれれば、詩の形式は彼女のものとなり、短歌も俳句も同様のこと。幼い頃耳にした御詠歌や説経節はそのまま彼女の語り口となった。能でさえも、ちらっとその形式にふれれば、自らの世界を書き上げることができた。彼女の作品には不知火の民の唄か、と思うような、民謡ふうの唄がしばしばあらわれるが、実はすべて創作であるらしい。きらめくような才能の生み出した文学作品群。

長編小説だけでも、『苦海浄土』のほかに『椿の海の記』、『おえん遊行』、『あやとりの記』、『十六夜橋』、『水はみどろの宮』、『天湖』、『春の城（アニマの鳥）』が残されている。これら八編をはじめとする彼女の文学は、まだまだ十分に読まれているとは言えない。『石牟礼道子全集』は、これから丹念に繙かれることであろうし、熊本における石牟礼道子資料保存会の活動も佳境にはいっているときく。未発表稿も発表されよう。本格的な石牟礼文学研究は、これから始まり、本当の意味で石牟礼道子が広く読まれていくのも、これからなのではあるまいか。

＊1　渡辺京二『もう一つのこの世——石牟礼道子の宇宙』弦書房　二〇一三年

＊2　マリオ・バルガス＝リョサ『プリンストン大学で文学／政治を語る』立林良一訳　河出書房新社　二〇一九年

（みさご・ちづる／津田塾大学教授、疫学者、作家）

■連載・アメリカから見た日本　2

日本語の無駄なエネルギー

米谷ふみ子

夫ジョシュが亡くなって二週間ほど呆然としていたが、そうや、彼の親友やった作家のフィリップ・ロスに知らせんと、と思い付き、居間にあった新聞を開いた。ロスの大きな写真が蓋棺録の欄に載っているではないか。三日前に彼は死んでいた。ジョシュと十日違いである。無宗教の男共があの世で大いに喋っているだろうと思うと、無宗教の私は何かほっとしたことは否めない。

ニューヨークの郊外に住んでいた頃、ロスがうちにコレクトコールで電話をしてきた。いつもうちに掛ける時はコレクトで掛けてくる。何とか生活をしている私たちが金持ちだと思っていたのだろうか？　あれだけの大ベストセラー作家になってもである。

「ジョシュは留守よ」と知らせた。

「いやあー、貴女に尋ねたいんだ。ハワイに今いるんだけど、日本に行こうかどうしようか迷ってるのよ。日本の社会で一番気を付けるべきことは何かを教えてくれない？」

「うーん。日本では……人と喋る時、相手の社会的地位を判断し、言葉遣いを変える社会なのよ。あなたは外人で日本語が喋れないから、門外漢だけど。アメリカは大統領にでも、ヘイ、ユーと対等に話せるけれど。日本の社会はそういう無駄なエネルギーを使うのよ」と説明した。

三日後に、彼が電話をして来て「日本に行くのはやめた」と言った。上下関係を考えたこともない輩には無理やったんや！　さもありなん！　ロスの *Portnoy's Complaint* を読んだ時、これやったら私でも書ける、と思った。それまでは、女性作家は女らしく書かねばならないという雰囲気が日本にあり、私は縛られていた。この本を読んで、気にしないで総てを赤裸々に書いたほうが面白いと悟ったのだ。

彼が女優のクレア・ブルームと結婚していた時、「妻がロサンゼルスに行くのだが、知人がないので、夕食を一緒にしてやってくれないか」と言ったので、私達は彼女に会うことが出来た。私は彼女が出演していた「ライムライト」の最後のシーンを決して忘れはしない。

（こめたに・ふみこ／作家、カリフォルニア在住）

リレー連載　近代日本を作った100人　71

江藤新平——司法改革の先駆者

星原大輔

「法」の制定

山脇之人『維新元勲十傑論』で、維新に功績のあった人物として、西郷隆盛、木戸孝允、大久保利通らとともに、江藤新平の名が挙げられている。彼が歴史の表舞台で活躍した期間は極めて短いが、さまざまな官職に就き、近代化に向けた立法作業に携わった。特に、司法改革における功績は今も高く評価されている。

維新政府が掲げた国家目標の一つは「万国対峙」である。それを実現するためには何をすべきか、政府内にもさまざまな意見があった。そうした中、江藤が注目したのは「法」、すなわち憲法、民法、商法、刑法、民事および刑事訴訟法の**六法の制定**である。オランダやベルギー、スイスのような小さな国が大国と対峙できているのは、ひとえに「法律の精《くわ》しく行はれればなり」と（「興国策」）。また「**富強の元は国民の安堵にあり。安堵の元は国民の位置を正すにあり**」とも主張している。ここで言う「国民の位置を正す」とは「相続・贈遺・動産・不動産・貸借・売買」等々、個人の権利を法律に明記し、かつ保護するシステムを確立することである。そうすれば人びとは「安堵」して業に励み、その結果として「国の富強」へと繋がる（「司法卿を辞するの表」）。

そこで江藤は、諸法を一日でも早く制定し、そして社会で生じた利害の衝突や紛争を、客観的かつ公平に解決・調整できるよう、裁判所を全国各地に整備しなければならないと考えた。

司法の理想像

当時、司法は行政の一環と考えられ、行政官庁が裁判所も兼ねるのが通例で、江藤のような考え方は異例であった。実際、江藤が司法の独立機関の設立を提言し、明治四（一八七一）年に司法省が設置されたが、ほとんど機能しなかった。

そこで翌年、江藤は初代司法卿に就任すると、「果然鋭為、一挙して進む勢」（井上毅）で、多岐にわたって大改革を推し進めた。とりわけ注目すべきは、五ヶ条からなる司法省誓約であろう。ここに

「方正廉直にして職掌を奉じ民の司直たるべき事」「律法を遵守し人民の権利を保護すべき事」と、江藤が描いていた司法の理想像が端的に示されている。

　この他、行政への監督として立法府を構想するなど、江藤は近代的政治思想を積極的に吸収し実現させようとした**「立法家実務家」**（大隈重信）であった。

「民の司直」たるべき司法省

　しかし江藤は、明治七（一八七四）年に刑場の露と消えた。処刑されるに至った要因の一つとして、彼の改革があまりにも急進的であった点が挙げられる。江藤の和歌に、

いそがずばぬれじと言ひし人もあれど
いそがでぬるゝ時もありけり

とある。彼はひとたび是とすれば、実現に向けてひたすらに邁進した。政府内にはこうした行動力を評価する声があった一方で、「ピリピリしておって、じつにあぶないよ」（勝海舟）と危惧し、反発する者もいた。久米邦武は、江藤新平を、父親の反対を押し切って改革を進め、内乱を招き処刑された前漢の晁錯《ちょうそ》になぞらえている。江藤の耳にもそうした非難の声は届いていたのであろう、

郭公《ほととぎす》声待ち兼《かね》てつひに将《まさ》
月をも恨むひとところ哉

という自戒の和歌も詠んでいる。これを記した書幅が彼の絶筆となったのは、何とも皮肉である。しかし彼の理念の実現に向けて邁進する生き様は、いまも多くの人の心を惹きつけてやまない。

　江藤の司法改革は道半ばであったが、その後、同郷の盟友・大木喬任《たかとう》が跡を継いで司法卿となり、同省に出仕していた佐賀出身者らの尽力により、裁判所整備と法典編纂は実現した。これらは時代と共に変わっていくであろうが、**「民の司直」**という江藤の理念は、これからも受け継がれていかなければならない。

（ほしはら・だいすけ／大倉精神文化研究所研究員）

▲江藤新平（1834-1874）
佐賀藩士。藩校弘道館で学び、枝吉神陽に師事した。1862年脱藩し木戸孝允らの知遇を得たが、帰藩後は永蟄居を命ぜられる。維新政府が成立すると徴士として出仕、大木喬任とともに東京奠都を建言し、政府首脳から高い評価を得た。その後、中辨、文部大輔、左院副議長などを経て、1872年に初代司法卿となる。この間、裁判制度の整備や民法をはじめとする法典編纂の推進に尽力した。1873年に参議となるが明治六年政変で下野。翌74年民撰議院設立建白書に名を連ねたが、その直後に帰郷した。征韓党の首領となり佐賀の乱を起こすが敗走、高知で捕縛され、佐賀で処刑された。

連載　歴史から中国を観る　2

中国人のナショナリズム

宮脇淳子

「中国」という国家は一九一二年一月に誕生した中華民国が史上初めてだが、中国人にナショナリズムが生まれたのは一九一九年の五・四運動からである。

中国と日本の教科書は、「一八四〇年のアヘン戦争でイギリスに負けたときから、屈辱の中国近現代史が始まる」と書くけれども、このときまだ中国は存在しないし、ナショナリズムもない。

実際にはアヘン戦争ではなく、一八九四〜九五年の日清戦争で日本に負けたことに衝撃を受けて、大陸の近代化が始まったのである。

大陸の人々は長い間、日本を東夷（東の野蛮人）と見下していた。それなのに、明治維新により国を挙げて西欧をまねて近代化に励んだ日本が、わずか三十年で自分たちよりも強くなったことを見て、初めて、これではいけない、と思った。そこで清国の漢人たちは大挙して日本に留学し、それまで何十年もの間、日本人が苦労して漢字熟語に翻案していた西欧文明を、日本語を通して取り入れた。

現代中国語が、「四書五経」のような漢文の古典とは語彙も文体もまったく異なるのは、明治時代の日本語を基礎としているからなのである。

英語の「ナショナリズム」を「民族主義」と翻訳したのは日本人である。「ネイション」は「国民」だから、文字通り訳すなら「国民主義」なのに、日露戦争前後に出現した第一次ナショナリズムの担い手はロシア帝国領の東欧の人々で、国家のない集団を国民と呼ぶことをためらった日本人が、「民族」という言葉を創ったのである。つまり「民族」にはヨーロッパ語の原語はない。

中国人にナショナリズムの観念を教えたのは日本だが、新たに生まれた中国人のナショナリズムへの対応を、日本は誤った。しかし中国も、自国の「民族主義」の取り扱いには成功していない。現代中国でナショナリズムは「愛国主義」と翻案され、民族といえば少数民族、あるいは「中華民族」のことで、「漢民族」は禁句、漢族と呼ばなくてはいけないのだから。

（みやわき・じゅんこ／東洋史学者）

連載　今、日本は　10

ゴーン氏逃亡の後で

鎌田　慧

カルロス・ゴーン。日本意外史に大きなエピソードを残した。欧米人権力者に極端に弱く、それ以外は蔑視する日本人のコンプレックスを、長い脚で蹴っ飛ばして、カルロス・ゴーンは関西国際空港から個人ジェット機で飛び立った。楽器箱にもぐりこんで……。

日本企業の経営者が、億単位の報酬をとるようになったのは、日産再建で名を挙げたゴーンが始祖かもしれない。いまでは、ソフトバンク、ソニー、武田薬品などの外国人雇われ社長が、二〇億、三〇億もの年俸を獲っているが、ゴーンは日産ばかりか、経営左前の三菱自動車、さらにはフランス本国のルノー会長の席にも坐って、一九億円（二〇一八年）も得ていた。

彼は「コストカッター」と呼ばれ、情け容赦もなく工場を閉鎖（村山、京都など）、労働者を整理したのが功績となった。

逮捕、勾留された容疑は、金融商品取引法違反であり、のちに特別背任罪が加わっている。簡単にいえば、実収入金額を隠し、勝手に使っていた、ということだ。

金持ちゴーン氏にはなんの同情もないが、彼が指摘した「日本正義の不正義」との批判には賛成だ。「人質司法」、つまり自供するまでは絶対に釈放しない、前世紀的「白州裁判」によって、証拠を偽造され、死刑判決を出された袴田巌さんや石川一雄さん（無期懲役に減刑）などの冤罪犠牲者たちには、逃げる外国もなく、ジェット機を借りる巨額資金はない。

あるのは、無実を信じている支援者のかぼそい声だけである。

ひとりで国家権力と闘って勝ったゴーンを英雄視できないのは、その武器が弁論ではなく、巨額のカネだったからだ。

貧乏な被告人は、この国では冤罪を証明できず、死刑になるしかない。日本国憲法は「拷問」、「長期拘留による自供」を認めていない。保釈中に逃亡したゴーンによって、これから保釈の条件が厳しくなる（一五億円の保釈保証金でさえ捨てられた！）。日本の司法の前近代性は世界から嗤われ、ますます酷くなりそうだ。

（かまた・さとし／ルポライター）

■〈連載〉沖縄からの声［第VII期］3（最終回）

首里城再建

～沖縄から琉球へ！

石垣金星

琉球文化の拠点、首里城が燃えて二ヶ月余になった。

首里城は沖縄県民の財産だと思っていたのが、日本国の財産であったことを初めて知り、たまげたのは私一人ではあるまい。再建への募金活動など、首里城への熱い思いがよく伝わってくる。再建に向けて玉城デニー知事が今なすべきは、**沖縄琉球の財産として首里城再建をする**という方針を、内外に宣言をすることであろう。方針が定まることで、自ずと再建への道筋は明らかになるであろう。

何よりも**一番大事なことは、「琉球の魂」を込めることにある。**琉球の魂を込めるのは、昔からの琉球建築の伝統を受け継ぐウチナーンチュ大工でなければならないことは当たり前である。

再建にはたくさんのお金が必要とされるが、日本政府は、沖縄に重たい負担を強いてきた歴史の現実がある。その負担の重さの分だけお金を出すことは当たり前のことである。そして国内外&世界中から、個人から、様々な団体から再建のためのお金が寄せられているのは周知の通りである。この際日本政府は、首里城にかかわるすべての財産を、沖縄県へ潔く寄贈するくらい懐の深さを見せて欲しいものであるが、期待しないほうがいい。

再建までには長い時間を要するだろうが、五百年に及ぶ豊かで美しい琉球文化を築き上げてきたのだから、これから「新しい琉球国」を創り出していくために、再建へ向けて、琉球人の心も力も一つにしていきたいものである。

明治政府は、武力により琉球国を滅ぼし、日本の一地方の沖縄県とした。あれから百四十年余、太平洋戦争で日本の捨て石とされた沖縄は、日米軍により焼き尽くされ、戦後二十七年に及んだあまりにもひどい米軍植民地支配から抜け出すために、一九七二年日本への復帰を選択したものの、日本は米軍とグルになり、今、辺野古新基地建設を強行している。

沖縄は、日本の安全のために犠牲になるのは当然だという、今の日本と沖縄の関係はもう辞めて、「政治的に対等な関係」を築く新しい時代へと向かうべき時が来たのではないか！

（いしがき・きんせい／西表をほりおこす会会長）

Le Monde

■連載・『ル・モンド』から世界を読む［第Ⅱ期］42

もうひとつのメッセージ

加藤晴久

昨年一一月二四日、長崎と広島でフランシスコ教皇が原子力の軍事利用を断罪したことを日本のメディアは大きく報じたが、もうひとつのメッセージはほとんど話題にしなかった。

東京駐在のPh・メスメール記者の一一月二七日付記事のタイトルは「核兵器と死刑――教皇来日の微妙な課題」

記事の出だし。

「〈すべての命を守る〉。この、フランシスコ教皇訪日のテーマはいかなる例外も許さない。もてなす側が当惑しかねない死刑のような問題であっても」

「二〇一八年、教皇庁は死刑は〈容認できない。人間の不可侵と尊厳に対する攻撃であるがゆえに〉と宣言した。二五日、東京ドームのミサで、五万人の信徒に向けて、教皇は何人《なんぴと》も路傍に置き去りにしないことの大切さを説き、〈支援と相互援助の場であるべき家庭、学校、共同体が利益と効率を追求する競争の場〉となっていることを嘆き、参会者に問いかけた。障害に苦しむ人、異国人、過ちを犯す人、病《やまい》に侵された人、あるいは刑務所にいる人は〈愛に価しないのでしょうか?〉と」

「〈内政干渉として非難されることを避けるため〉面会はしなかったが、東京ドームには袴田巖氏が招かれていた。一九六六年、四人殺害の廉《かど》で死刑判決を受け、四八年間、獄中にあったひとである」

「死刑廃止の運動を進める人たちは落胆したかもしれない。彼らは教皇来日が彼らの運動に拍車をかけることを期待していた。国民の八〇%が死刑を支持している国ではメディアもあまり取り上げないし、論議されることも少ない。〈日本では死刑は感情の視点から考えられていて、人権という視点から考えることは稀なのです〉と〔ある識者は指摘する〕」

「一九七五年時点で、二五カ国が死刑を廃止していた。今日では、一〇四カ国。さらに約五〇カ国が執行を停止している」

日本のメディアによると、第二次安倍内閣発足以降、三九人が執行されている。未執行の確定死刑囚は一一二人だという。

（かとう・はるひさ／東京大学名誉教授）

■連載・花満径 47

高橋虫麻呂の橋（四）

中西 進

　それにしても、なぜ「橋詰の遊び」と称する男女交歓の集りが行なわれるようになったのか。

　将来橋の架けられる所、必然的に道がそこまで到達して、さらに先に行く必要性をもった川岸は、川幅も狭く川底も浅く、徒歩で渡るのには便宜な場所だっただろう。

　そんな所は中国の『詩経』では「渡河」が行なわれた場所にちがいない。

　「渡河」とは、のちに結婚を意味するようになったほど、男女の交歓があった、ある種神聖な土地だったらしい。

　舟がそこから対岸に出発し、さらにはより遠くまで舟が行先を伸ばしていくと、この出発点は送迎の場となり、餞別、惜別の地となり、情感を深めていったはずだ。

　ところがその聖地に、橋が登場した。そして従来の終着点が通過点となった。

　この有様について以前考えていて驚いたことがある。

　そもそもハシという日本語は、漢字の端に当るばかりか、間にも当る。古代には有名な間人皇女《はしひとひめみこ》という、天智・天武の妹がいる。

　間《あいだ》は端と端の中間でありながら、橋によって双方から端であるという二重性を背負ってしまった結果、間《はし》になったとしか、わたしには考えられなかった。

　この結果、従来の端は橋詰となり、詰である聖性も遊興性も、そして神秘性もすべてを橋詰が担当することになったのである。

　日本には『古今集』（巻14六八九）や『源氏物語』（橋姫）に登場するふしぎな橋の女がいる。宇治橋の橋姫は神聖な筵《むしろ》に衣を片敷いて待っているといい、「橋姫」の巻では薫の出生の秘密が語られる。

　近世の都市が花街を橋詰や川の中州にもつのも、この一連の流れである。彼女たちを八重子の刀自と血の繋がった者ということもできるし、外ならない虫麻呂の橋上の女も、それらと一連の、美しき幻影だったにちがいない。

（なかにし・すすむ／国際日本文化研究センター名誉教授）

一月新刊

20世紀最大の環境破壊

消えゆくアラル海

再生に向けて

石田紀郎

湖面積が琵琶湖の一〇〇倍あった世界第四位の湖、中央アジアのアラル海。それが、大規模な農地開発により、琵琶湖のたった一〇個分にまで縮小した。琵琶湖のほとりで育ち、農学の道に進んだ著者が、アラル海消滅の危機にあるカザフスタンに通いつめ、消滅の現実と再生への希望を描く画期作。

カラー口絵八頁

四六上製　三四四頁　二九〇〇円

生命の起源から、未来へつながる

中村桂子コレクション いのち愛づる生命誌　全8巻

2 つながる　生命誌の世界　【第4回配本】

口絵二頁

七〇年代、日本における“生命科学”の出発に深く関わり、そこから新しい知“生命誌（バイオヒストリー）”を創出した著者。DNA、ゲノム……科学の中から、人間をふくむすべての生きものの“つながる”をやさしく語る。〈解説〉村上陽一郎

〈月報〉新宮晋／山崎陽子／岩田誠／内藤いづみ

四六変上製　三五二頁　二九〇〇円

ブルデュー社会学の集大成！

〈ブルデュー・ライブラリー〉

世界の悲惨 II　（全3分冊）

ピエール・ブルデュー編

監訳＝荒井文雄・櫻本陽一

最も個人的な経験を理解するために、“社会”を理解すること――ブルデューとその弟子ら二三人による五二のインタビューの集成！　第二分冊では、正規／非正規労働者の分断、失業者、継承されない農業、学校教育の変容と教師・学生、女性の直面する困難などに耳を傾ける。

A5判　六〇八頁　四八〇〇円

最近の重版より

脱デフレの歴史分析（2刷）
【「政策レジーム」転換でたどる近代日本】
安達誠司
四六上製　三二〇頁　三六〇〇円

大石芳野写真集
長崎の痕（きずあと）（2刷）
大石芳野
四六倍変判　二八八頁　四二〇〇円

世界経済史の方法と展開（12刷）
【経済史の新しいパラダイム（一八二〇―一九一四年）】
入江節次郎
A5上製　二八〇頁　四二〇〇円

入門・世界システム分析（6刷）
I・ウォーラーステイン
山下範久訳
四六上製　二六四頁　二五〇〇円

戦後行政の構造とディレンマ（2刷）
【予防接種行政の変遷】
手塚洋輔
四六上製　三〇四頁　四二〇〇円

ルーズベルトの責任㊦（5刷）
【日米戦争はなぜ始まったか】
Ch・A・ビーアド
開米潤＝監訳　阿部直哉・丸茂恭子＝訳
A5上製　四四八頁　四二〇〇円

読者の声

全著作〈森繁久彌コレクション〉■

▼森繁久彌はTVの「だいこんの花」etc. 映画の「社長シリーズ」を見ていて、無条件に本当に面白かったから購入。
　書評を見て購入しても「……」ということもあるが、この本は私的に活字の大きさや字の配列もとても読みやすいうえに内容も本当に満足です。全巻揃えます。有り難うございます。

（神奈川　**柳澤陽子**　65歳）

▼内容見本が届くのを待ち切れず注文させて頂きました。売切れになったらという焦燥感からです。それでも内容見本拝見させて頂き、錚々たる方々の御推薦に驚嘆致しております。いや、驚嘆といっては失礼かもしれません。森繁先生の御業績からすると当然至極のことかもしれません。芸能界の方はいわんとしても一般の方も興味津々たる出版だと思います。感動の嵐が世を席巻する予感が致します。私ごときものも内容見本に載っている御著書の四、五冊は既に持っていたものがありますが、あらためて編集されて読むことができるというのも魅力です。内容見本の森繁先生の抜粋御文章、大いに裨益されるといってはなんですが、啓発を促します。注文したことを微塵も後悔致しておりません。入手出来る日が待ち遠しくあります。森繁先生はお亡くなりになっても活字としてこの世に蘇りになられると思います。注文させて頂いてありがとうございました。
（神奈川　**別府詩朗**）

全著作〈森繁久彌コレクション〉①　**道――自伝**■

▼全著作〈森繁久彌コレクション〉『I　道――自伝』、まことに面白く通読しました。全集刊行の企画はまことに結構に存じおります。
（東京　財団役員　**由井常彦**）

▼過去森繁に関する本は、沢山読みました。今回は、森繁に関する集大成だと思い、『朝日新聞』（十二月六日付）の紹介記事を見て注文、購入しました。全巻購入予定で、これから第一巻を読み始めます。
（愛知　**伊藤俊雄**　85歳）

▼よく出版してくれました。続きを楽しみに。
（長野　**小宮昇**　75歳）

ベルク「風土学」とは何か■

▼JIA岡山大会が二〇一四年に岡山市で開催された。JIA会員ではないが、参加させていただいた。その時の基調講演がオギュスタン・ベルク氏であり、テーマは「建築の再コスモス化は何か」という壮大なテーマでありました。オギュスタン・ベルクの初めての講演は難しくてわからなかった。主体が客体であり通態であるとかmilieuとかの言葉をメモをとるのに必死でありました。風土論について何か訴えるものを感じて大阪に帰って来ました。
　藤原書店の月刊誌『機』no.332に『ベルク「風土学」とは何か』が掲載されていた。オギュスタン・ベルクと川勝平太氏の両氏の著書である。ベルクの著書の『空間の日本文化』『風土の日本』や文庫本も買ってよんだ。コスモス国際賞の受賞講演・京都大学を聴講することができた。

　すぐにお願いして読んだ。すごいいい本である。風土が人間の存在によって構築されると同様に人間の存在は風土との関係で構築されるということであると書いている。素晴しい言葉である。表紙もすばらしい。オギュスタン・ベルクと川勝平太氏の二人の著者の本が同時に一冊で読めることはうれしく私の書棚が一番喜んでおります。

（愛知　一級建築士・「まちづくりセンター・蕪村」　**岡﨑善久**　71歳）

兜太 Tota vol.3■

▼今年はドナルド・キーンさんが亡くなり、文壇も寂しくなりました。日本文学の大いなる理解者でした。キーンと兜太の交流は、深い魂の共鳴と太平洋戦争の経験者としての共感だと思う。戦後復員した多くの軍人はあの惨い戦争体験を秘して生きた。卑怯である。それに引換え、兜太は懺悔しつつも堂々と生きた。天晴である。

全国各地の俳誌の紹介コーナーがあれば良いと思います。又、有名俳誌以外の地方の弱小俳誌を複数載せる広告欄が有れば、地方の俳句発展が望めます。『兜太』の栄えを心より祈念します。

（京都　**中村久仁子**　64歳）

都市のエクスタシー■

▼この著者をいったい何と呼べばいいのだろう？

アレントがベンヤミンに授けた称号に倣えば、ファム・ド・レットル（femme de lettres）なのであろうか。

それぞれ別個に遺された言説（discours）であるはずなのに、こうして一冊の書物として編まれると、ベル・エポックの優雅な香りが漂い、さらにその色彩・音が妖しげな世界を醸し出す。

とりわけプルースト論は秀逸で、バルベックに花咲いた乙女たちのイメージが、リゾートという言語空間にいかにして浸透していったのかという筆致に酔いしれる。

山田登世子さんは生きているのだ。そして、これからもきっと彼女の《新刊》に出会えるのだろう。

（東京　放送大学学生　**山田良**）

※みなさまのご感想・お便りをお待ちしています。お気軽に小社「読者の声」係まで、お送り下さい。掲載の方には粗品を進呈いたします。

書評日誌（一二・一五～一・五）

(書) 書評　(紹) 紹介　(記) 関連記事　(イ) インタビュー　(テ) テレビ　(ラ) ラジオ

一二・一五　(紹)産経新聞「崩壊した「中国システム」とEUシステム」

一二・一六　(紹)公明新聞「〝フランスかぶれ〟ニッポン」

一二・一九号　(書)週刊新潮「全著作〈森繁久彌コレクション〉」（「すこぶる付きの名文家でもあった名優『森繁久彌』の自伝集」／碓井広義）

一二・二〇　(記)週刊読書人（「2019年回顧総特集」）「セレモニー」（「外国文学／中国」／「変幻中国から科幻（SF）中国へ」／「巨大覇権国家となった中国の発展に見合った文学の動向」／山口守）／「長崎の痕」（「日本史／近代以降」／「歴史学を研究するもの座標軸として」／阿部安成）／「死とは何か」（「西洋史」／「現代史を画した重要な出来事の記念が重なる年」／「関連する書籍の刊行も目立った」／村上宏昭）

一二・二三　(記)読売新聞（「読書委員が選ぶ『2019年の3冊』」）「全著作〈森繁久彌コレクション〉」（橋本五郎）／（戌井昭人）

一・一　(記)朝日新聞「苦海浄土」（「Eテレ『100分de名著』司会伊集院光」／「無知と知が出会う　ビックバン」／「単なる解説じゃない　現代を読み解く知恵」／伊集院光・秋満吉彦・河村能宏）

(記)東京新聞「国難来」（「編集局南端日誌」／「2020年代の始まりに」／「100年前からの宿題」／田原牧）

一・五　(書)しんぶん赤旗「全著作〈森繁久彌コレクション〉」（「多彩な筆致、大河ドラマのよう」／広瀬依子）

三月新刊予定

＊タイトルは仮題

俳壇を超えた総合誌、第四号

兜太 Tota 最終号 vol.4

［特集］龍太と兜太――戦後俳句の総括

〈編集主幹〉黒田杏子　〈編集長〉筑紫磐井
〈編集顧問〉瀬戸内寂聴・芳賀徹・藤原作弥

飯田龍太生誕百年、金子兜太三回忌。二人の対比から戦後俳句を振り返る。

〈寄稿〉飯田龍太／金子兜太／飯田秀實／井口時男／井上康明／宇多喜代子／岸本尚毅／三枝昻之／坂本宮尾／下重暁子／高田正子／髙柳克弘／高山れおな／舘野豊／田中亜美／対馬康子／中岡毅雄／仁平勝／宮坂静生／横澤放川／渡辺誠一郎 ほか

写真＝黒田勝雄　挿画＝中原道夫

訳業を通して、親鸞の核心を追求！

中国人が読み解く

歎異抄〈中国語訳付〉

張鑫鳳 編

終生、親鸞と格闘した野間宏の文学を通して、親鸞と出会った中国人の著者が、原文、読下し、現代日本語訳、中国語訳（大陸、簡体字）、中国語訳（台湾、繁体字）をなしとげ、全く新しい解釈で親鸞の真髄を示す。

「怨恨と復讐」に抗する「共苦」の文学

高橋和巳論

宗教と文学との契り

清 眞人

高橋和巳の全作品に通底する問いとは何だったか。「革命」への絶望とヘイト・ポリティックスの蔓延が極限に達しつつある二十一世紀の今、二十世紀日本の「原罪」に果敢に立ち向かった作家の今日的意味を明かす。

水俣病被害は生まれ続けている

止まらない水俣漁民・漁業被害

芦北町女島での社会学・医学的調査研究

井上ゆかり

今なお水俣病の漁業被害と漁民被害は、社会的食物連鎖のなかで国・熊本県・チッソによって生産され続けている。先行研究のない課題を、自ら調査研究、水俣病政策、水俣病認定制度の改革案をも提示する野心作。

「原風景」から解き明かす日本の心性

新・風景論

原 剛　写真＝佐藤充男

明治以来の日本の近代化の過程において、三度にわたって言挙げされた「風景論」。文明史的災害に重ねて見舞われる現代日本において、自然・人間・文化を一体とする「環境」の観点から、ナショナリズムを超えた第四の「風景」論を提起する。

〝脱近代〟を説く著者積年の集大成！

世界像の大転換

北沢方邦

ベートーヴェンの音に導かれ、近代のリアリティの運命と、そこからの脱却を、哲学、人類学、数学、物理学、量子論、後発性遺伝学《エピジェネティクス》等の脱領域的諸分野に生じている徴候として読み解く。脱近代のリアリティの様態を探究し続けた、著者積年の思考の集大成。

「在日」を問い、「日本」を問う詩人の言葉

金時鐘コレクション 全12巻

10 真の連帯への問いかけ ［第6回配本］

「朝鮮人の人間としての復元」ほか講演集Ⅰ

在日朝鮮人と日本人の関係を問い直す。七〇年代～九〇年代半ばの講演を集成。　口絵2頁

〈解説〉中村一成

〈月報〉金正郁／丁海玉／吉田有香子／川瀬俊治

2月の新刊

タイトルは仮題、定価は予価。

大地よ！ ＊
アイヌの母神、宇梶静江自伝
宇梶静江
四六上製　四四八頁　二七〇〇円　カラー口絵8頁

近代家族の誕生 ＊
女性の慈善事業の先駆、「二葉幼稚園」
大石茜
四六上製　二七二頁　二九〇〇円

公共論の再構築 ＊
時間／空間／主体
中谷真憲・東郷和彦編
A5上製　三四四頁　三八〇〇円

世界の悲惨 III（全三分冊）＊　完結
P・ブルデュー編
監訳＝荒井文雄・櫻本陽一
A5判　四六四頁　四八〇〇円

全著作〈森繁久彌コレクション〉（全5巻）
3 **情——世相** ＊
〈解説〉小川榮太郎　口絵2頁
月報＝大村崑・宝田明・塩澤実信・河内厚郎
四六上製　四八〇頁　二八〇〇円　内容見本呈

3月以降新刊予定

雑誌 **兜太** *Tota Vol. 4* 最終号
〈特集〉**龍太と兜太**——戦後俳句の総括 ＊
編集主幹＝黒田杏子　編集長＝筑紫磐井

中国人が読み解く
歎異抄〈中国語訳付〉＊
張鑫鳳 編

高橋和巳論 ＊
宗教と文学との契り
清眞人

止まらない水俣漁民・漁業被害 ＊
芦北町女島での社会学・医学的調査研究
井上ゆかり

新・風景論 ＊
原剛　写真＝佐藤充男

世界像の大転換 ＊
北沢方邦

金時鐘コレクション（全12巻）
10 **真の連帯への問いかけ** ＊
「朝鮮人の人間としての復元」ほか　講演集I
金時鐘　解説＝中村一成

好評既刊書

消えゆくアラル海 ＊
再生に向けて　写真・図版多数
石田紀郎
四六上製　三四四頁　二九〇〇円　カラー口絵8頁

世界の悲惨 I・II（全三分冊）＊
P・ブルデュー編
監訳＝荒井文雄・櫻本陽一
A5判　I四九六頁 II六〇八頁　各四八〇〇円

中村桂子コレクション いのち愛づる生命誌（全8巻）
2 **つながる** ＊　〈解説〉村上陽一郎
生命誌の世界
四六変上製　三五二頁　二九〇〇円　口絵2頁　内容見本呈

存在と出来事
A・バディウ　藤本一勇訳
A5上製　六五六頁　八〇〇〇円

いのちを刻む
鉛筆画の鬼才、木下晋自伝
木下晋　城島徹・編著
A5上製　三〇四頁　二七〇〇円　口絵16頁

全著作〈森繁久彌コレクション〉
2 **人——芸談**（全5巻）＊
〈解説〉松岡正剛　口絵2頁

＊の商品は今号に紹介記事を掲載しております。併せてご覧戴ければ幸いです。

書店様へ

▼昨年末のETV特集での放送以降、『**いのちを刻む　鉛筆画の鬼才、木下晋自伝**』が話題になっています。俳優・榎木孝明さんがフェイスブックにて、「芸術とは何か。生きるとは何か。極限の人間存在とは。等々に興味をお持ちの方にはお勧めの本です。」と絶賛紹介。また1／20(月)『毎日』では「学校とわたし」にて著者インタビュー記事が掲載。大きくご展開ください！▼1／21(火)『毎日』夕刊「著者のことば」にて『**移動する民**』著者ミシェル・アジエさんインタビュー記事。▼『文藝春秋』二月号にて磯田道史さんが「わが師・速水融が変えた『江戸の貌』」で歴史人口学者・速水融さん追悼。▼同号にて『**セレモニー**』著者王力雄さんが「共産党独裁崩壊で中国は分裂する」寄稿。▼1／25(土)『朝日』「好書好日」にて長谷川逸子さんが『**ベルク「風土学」とは何か**』を絶賛書評。▼1／26(日)『毎日』「今週の本棚」にて伊東光晴さんが『**"フランスかぶれ"ニッポン**』を絶賛書評。在庫のご確認を！　（営業部）

出版随想

▼早や一月も過ぎ、二月に入った。しかし、世界の不安は、一向に衰えるどころか日に日に増している感がある。昨年暮れ中国の武漢から始まった新型コロナウイルスの感染が世界に拡大してきている。百年前、第一次世界大戦のさ中に発生した〝スペイン・インフルエンザ〟は、一九二〇年まで続いたが、戦死者の五倍の五千万人の死者を招いた。わが日本でも、内地だけで四五万人、外地を入れると七〇万を超える死者数に達した。元々人類の歴史は感染症との闘いの歴史ともいわれるが、一旦発生すると、現代の文明社会は脆さを露呈する。とにかく交通のスピード化で、昔なら一カ月はかかる距離をわずか十時間で。又情報の場合は、何千キロ離れた所でも瞬時に往来する。ということは、マイナス面も同様ということだ。とかく人間は、自分にとって好都合のことしか考えないから負の連鎖など頭になく日常を過ごす。しかし大変動が起きると、この正負両面を否応なくつきつけられるのだ。

▼今年は年始早々、「後藤新平」という四文字が新聞紙面を賑わせている。元旦に『中日・東京新聞』の「こちら特報部」のコラムに、『産経新聞』の「正論」で二回。同紙「東京特派員」欄とわずか一カ月余りにタテ続けに出ている。昨夏から秋にかけて、小社から『後藤新平と五人の実業家――渋沢栄一・益田孝・安田善次郎・大倉喜八郎・浅野総一郎』（後藤新平研究会編）と『国難来』（後藤新平著）を出版した。後藤新平は、百年前に、幕末・明治・大正・昭和初期という困難な時代を、多くの人びとの助力を頂きながらも、無私の精神で社会に奉仕し、果敢に生ききった人間である。そういう人間は居るようでいて、そう多くは居ないから光が当たるのも当然ではあるが、百年以上も前の人間が、この一月余りで四回も取り上げられるのはいささか異常なことである。それだけ、現在、後藤新平のような人間の再来が待たれているのかもしれない。

▼先日も、アフガンの近代化、インフラに貢献された中村哲医師の追悼に多くの人々が心寄せる記事があった。今から三四年前、インドの砂漠に数千キロの水を引き、インド〝緑の父〟と謳われている一人の男が静かに息を引き取った。杉山龍丸。かつて鶴見和子さんからご生前の身辺整理として、龍丸が撮ったインドの朝陽の写真を貰ったことがある。「変わった方でねえ、ちょくちょくわが家に遊びにきたの。しょっちゅうインドに行ってると聴いてるわ」と。どの程度龍丸のことをご存知だったかは知らぬが、拙の部屋に今もこの写真は飾ってある。いわずもがなこの龍丸こそ、杉山茂丸の孫であり、夢野久作の息子である。茂丸と後藤新平との関係は、かなりなもので書簡だけでも百通は超える。夢野久作は、鶴見俊輔さんの立派な評伝がある。にもかかわらず、龍丸を知る人は少ない。自分の資産をすべて擲ってインドの緑化のために尽くした人をわれわれは決して忘れてはなるまい。アジアの人民がこれから手をつないで生きることが、今最も大切なことであると信ずる。　（亮）

第一章

ニヒリズムへの道

——近代のリアリティ

星空と「革命」

星空の話からはじめたのだから、ふたたび星空に戻ろう。いうまでもなく近代の開始を告げるコペルニクスの「革命」である。

太陽を中心として、地球を含む諸惑星がそのまわりを回るとするコペルニクスの「地動説」は、西欧天文学の「革命」であっただけではなく、近代科学創造の出発点であり、またその影響はやがて一般にまでひろがり、中世の世界像から近代の世界像への大転換をうながすことになる。

地動説はいうまでもなく、古代インドやプトレマイオス以前の古代ギリシアでは一般的であったし、したがって地球が球形であったことも認識されていた。その伝統を受け継ぐ中世のイスラーム天文学は、一部ではプトレマイオスの天動説の影響がなくはなかったが、その主流は、カリフたちの援助で建設された数々の大規模天文台での観測に裏づけられ、あきらかに地動説に立っていた。

中世後期の西欧はイスラーム文明の圧倒的な影響下にあり、学僧や知識人たちはこぞってアラビア語を学び、多くの大学や図書館を擁するウマイヤー・スペインの首都コルドバに留学することを目標としていた。ラテン語はいうまでもなく公用語であったが、当時のリングア・フランカ（国際語）はアラビア語であったのだ。

コペルニクスも例外ではない。だが彼の時代、ウマイヤー・スペインはイザベラとフェルナンドによるレコンキスタ（再征服）によって滅び、イスラーム文化圏に直接接触することは不可能であった。コペルニクスはイタリアのパドゥヴァやボローニャの大学でギリシア語を学ぶとともに、アラビア語をも習得し、それら大学の図書館に収蔵されていたイスラーム天文学の諸文献を渉猟することができた。またプトレマイオス以前の古代ギリシア文献にも接し、地動説に確固とした裏づけをえたにちがいない。

地球が球形であることの西欧の認識は、すでにコロンブスによる「インド」（西インド諸島）発見など、いわゆる大航海時代の到来によって実証されつつあったが、この地球中心主義から太陽中心主義への転換は、そのこととあいまって西欧の視野を世界や宇宙にまでひろげ、地中海中心にすぎなかった西欧中世の視界を脱して、近代への覚醒をもたらすにいたった。

したがってコペルニクスの「革命」がなかったら、ニュートンやライプニッツの「革命」

もありえなかったし、近代科学の成立はありえなかったであろう。だがたとえコペルニクスが存在しなかったとしても、地動説への転換はかならずなされたにちがいない。なぜなら、歴史そのものの転換に先立って、世界観や科学認識論の大転換が起こり、それが時代を先導することは、しばしばありえたからである。

それはドイツ語で「時代精神《ツァイトガイスト》」ともよばれたものでもある。世界宗教の創始とその後の歴史、あるいはプラトンやアリストテレスの哲学とギリシアの古典的時代、シャンカラやラーマーヌジャをはじめとするヴェーダーンタ哲学の確立と中世インド独自の古典的時代の開始など、例をあげればきりがない。同時代に伝播するこの認識の改革、知の改革の萌芽は、やがて歴史の巨大なうねりを引き起こすことになる。

宗教改革とそのさきがけ

知の改革は、星空の「革命」だけにはとどまらない。すでにその時代、西欧をゆるがす大変革の口火が切って落とされていたのだ。言うまでもなく宗教改革である。

しかしながらさかのぼればそれは、十三世紀から十四世紀にいたる宗教論争に萌芽が認められる。聖アウグスティヌス以来中世を支配した新プラトン主義――イデア（理念の世界）としての神の国である来世を真のリアリティとし、原罪に穢れた現世においては、魂を導く光として神のイデアを求めて生きることでのみ来世の救済が可能になる――は、アヴェロエス（イブン・ルシュド）やアヴィケンナ（イブン・シーナー）のイスラーム哲学の絶大な影響下、キリスト教神学にはじめてアリストテレスの実在論を導入したアルベルトゥス・マグヌスや聖トマス・アクィナスによって、キリスト教的アリストテレス主義への大転換がなしとげられた。

すなわちこの実在論は、神の本質である形相《エイドス》はこの世にも顕現しているのであり、その意味で現世も神のリアリティであるとする。また信仰を来世にかかわるものとして理性から切り離し、理性はひたすら現世における神の真理を探究するものとした。この信仰と理性の分離が、のちにデカルトの哲学を生みだし、ニュートンやライプニッツの近代科学の出現をうながすにいたったことはいうまでもない。

だが他方十三世紀は、宗教改革のある種のさきがけが現れた世紀でもある。アッシジの《貧者》聖フランチェスコの出現と、ヨーロッパを燎原の火のごとく席巻したその巨大な影響である。

知の観点からみれば、聖フランチェスコの教えと行動は、同時代のスーフィー（イスラーム神秘主義修行者）であり、旋回舞踏僧《デルヴィーシュ》の教団であるマウラウィヤー（メヴレヴィー）の創設者ジャラール・アド・ディーン・ルーミーと同一視してよいほど似ていて、両者ともにアリストテレス的実在論を超えるある種の一元論の提唱者とみなすことができる。

たとえば二人の実によく似た「太陽讃歌」を読めば、光り輝く大自然や宇宙そのものが現世と来世の二元論を超えた神の顕現であり、プラトン的イデアであるとともにアリストテレス的エイドスである、と彼らが認識していたことがわかる。つまり彼らは、同時代のイスラームあるいはキリスト教神学や哲学を超越していたといえる。このことは強調されてよいし、またのちに触れることとなるだろう。

いずれにせよ聖フランチェスコは、キリスト教的スーフィーであったといっても過言ではない。イスラームにおいてもスーフィーは、宗派の枠にまったく囚われず、自己のまわりの自然的・人間的環境に神の顕現を見いだしながら、そのなかに自由闊達に入り込み、神との一致を探求するものであった。『クルアーン』にも言及されているように、スーフィズムはイスラーム以前から存在する自由宗教であり、ヒンドゥー風にいえば自己《アートマン》と宇宙《ブラフマン》との一体化を追求する修行方法でもある。それはのちに西欧近代においてもフリーメイソン

だにひろがるにいたっている。（自由石工組合）やイルミナティ（［内面の］照明派）運動として、知識人や芸術家たちのあい

このフランチェスコの教えは、スコラ哲学といった難解な知に裏づけされた教会の権威にたんにしたがうだけであって、ほとんど親しみをもたなかった大衆に絶大な影響をおよぼした。とりわけその教団が、脱俗する通常の修道会（男の第一修道会・女の第二修道会）だけではなく、世俗の職業に従事しながら所属する在世修道会（第三修道会）のかたちをとったがため、信徒の数は爆発的に増え、第三修道会はイタリアを超え西欧全土にひろがっていった。

また修道僧たちは、吟遊詩人・吟遊芸人となってフランチェスコの詩をうたい、聖史劇を演じ、その教えをひろめた。これがのちにフロットーラやオラトリオ、あるいは世俗のオペラ、キャロルやガイスラーリーダー、また宗教改革後のコラールや賛美歌といった各国の聖歌など、ルネッサンスや宗教改革の音楽芸術創造の基盤となっていく。

このまたたくまにひろがった燎原の火に驚いたローマ教皇庁は、はじめ異端としたフランチェスコ教団を、インノケンティウス三世によるフランチェスコの有名な謁見を期に、公認するにいたった。

のちに黒衣派と褐色派と二派に分裂するが、このフランチェスコ教団が、その内部に宗教改革の知の萌芽をはぐくむことになる。

オッカムの剃刀と宗教改革

イングランドのオッカム村生まれのウィリアム（ウィリアム・オッカム）はフランチェスコ教団の学僧であったが、その著作によってアヴィニョンでの異端審問を受けることになった。その主張はトマスと同じく信仰と理性の分離であったが、その理性の側面で彼はもっともラディカルな理論を展開した。

すなわち認識するもの（主体）と認識されるもの（対象）とを厳密に分離し、認識されるものにだけ頼る――彼はそれを直観知と呼ぶ――限り、真の認識――彼はそれを抽象知と呼ぶ――にはいたらない。抽象知は、対象を示す概念である《記号》相互の関係を厳密に定義することによって生まれる。定義するものがすなわち理性である、と。

ある意味でこれは後世の論理実証主義に通じるが、それとは逆に、まず個々の事物が絶対的なリアリティであるという前提に立っている。人間という抽象的概念が実在するのではない。ソクラテスやプラトン、あるいはオッカムやトマスという個々の人間のみが実在するのだ。

オッカムはこの前提に立って、トマスのアリストテレス的実在論を鋭く批判する。すなわち彼によれば、神の永遠性も絶対的力も、さらには神の存在そのものも、有限である人間には証明できない。神が万物の発端である「第一原因」であることも証明できなければ、神が創造した世界が一つであることも証明できない。原因は多様であるかもしれないし、世界もいくつかあるかもしれない（多重世界論！）。そのうえ唯一のリアリティが個別の人間や事物であるとすれば、実在論の唱える普遍的存在としての人間や事物はたんに思考上の約束にすぎない。

中世以来の実在論《リアリズム》・唯名論《ノミナリズム》の論争に、オッカムは終止符を打ち、カトリック（普遍的）教会のよって立つ神学的基盤を根底からくつがえす。教会が思考上の約束にすぎない、あるいは極言すれば観念の産物にすぎないというのだ。信仰も、個々の人間の意志が選択する信仰のみが実在するのであって、それも証明不可能なものへの直観知にほかならない。

教皇庁から破門されたオッカムは、教会権と王権との対立の渦中にあったバイエルン国王で神聖ローマ帝国皇帝ルートヴィヒ四世の庇護を受ける。皇帝の死後、悲劇的なことに彼の消息は不明となるが、オッカムの論理の剃刀が切り裂いてみせた未来の帳《とばり》は、その奥に途方もない宗教革命の図柄を浮かびあがらせる。いうまでもなく十六世紀の宗教改革である。

ルター派、改革派など、宗教改革はさまざまな地域でさまざまな形で起こるが、そのもっともラディカルな理念は、あきらかにオッカムの思想の継承であった。すなわち信仰は教会という宗教的観念の共同体に属するのではなく、個別の人間と神との関係であり、それを媒介するのはロゴス、つまり神のことば、いいかえれば新約聖書である。信仰という直観知は、ロゴスによって、言い換えれば理性によってのみ真の認識となる、と。

聖フランチェスコやオッカムによって、ひそかに、しかしひろくふりまかれた知と制度の改革の火種は、こうして西欧に一挙に燃えひろがり、知の闘争のみならず、殺戮や戦乱をともなう動乱の時代を幕開けさせることとなった。

神の抽象化と神の人間化

オッカムやその継承者である禁欲的プロテスタントたちは、証明不可能な神の存在をロゴスに結びつけることによって、神を直観知から抽象知の対象としてしまう。いいかえれば、神そのものが個々の内面の知として抽象化され、社会の画面からは消失してしまう。共同体としての教会も消失し、それは信徒たちの集会所にすぎなくなる。社会の画面に映るのは、個々の信徒たちがロゴスにしたがって生活し、行為するその結果だけとなる。

ひとびとはひたすらロゴスすなわち神の意に沿って、禁欲とアッシジの貧者のまねびにはげむ。カルヴァン派によれば、来世に救済されるかどうかもすでに運命として決定されているのであり、そのことに思い悩むことはない。こうしてカルヴァン派の商工業者たちは、挙がった利益を生活や享楽のために使うのではなく、ひたすら蓄積し、それを社会に還元すべく再投資に向け、事業を拡大し、良い商品を安く社会に提供すべく汗して働く。こうして利益を享楽のための消費にふりむけ、次第に衰退した古代の資本主義とまったく異なる、利潤の再投資による資本の拡大という近代資本主義が成立するにいたる。質素と倹約の象徴である黒い衣服、清潔と信仰の純粋さの証である純白の襟飾りは、レンブラントの絵画に表現されているように、ギルド（商工業組合）の親方や組合員、あるいはその妻たちの身なりとなる。

他方こうした西欧を席巻するプロテスタンティズムの波濤に対抗したカトリック側の

「反宗教改革《カウンターリフォーメーション》」は、その覇権の回復のためにひたすら教義や祭祀の民衆化をはかる。宗教改革と同時代にはじまったギリシア古典の復興《ルネッサンス》は、十三世紀にはじまったアリストテレス的実在論への転換の副産物ともいえるが、ギリシア・ローマ神話を現世や世俗のレベルに引き戻し、人間の欲望や情念の正当性をたたえる。ローマ教会はそれを借用し、聖書の神話や伝説を、現世の生活や情念のレベルで解釈してみせる。

たとえばギリシア・ローマ神話にもとづく世俗のオペラは、聖書の神話や伝説による宗教的オラトリオと化し、また同じく世俗的なルネッサンス絵画は、神や聖書の諸神話や伝説の生々しくリアルな絵画にと変換される。ルネッサンス後期からバロックにいたる教会堂は、遠い神の国や諸悪魔の跳梁するこれも遠い地獄といった象徴的で暗いロマネスクやゴシックの聖堂から、目も鮮やかな肉体や衣裳がひるがえる明るい空間へと変貌する。

神や聖者たちは、ギリシア・ローマ神話の神々や英雄たちと同じ姿で描きだされ、こうして反宗教改革の側では《神の人間化》がおしすすめられる。だが神の人間化は、プロテスタントの側の神の抽象化と同じく、結局神の消失をもたらす。なぜなら神の人間化は逆に、諸生物や自然そのものにまさる神に選ばれたものとしての《人間の神化》、あるいは神との同一化へと人間の意識をみちびくからである。

こうして《神の抽象化》であれ《神の人間化》であれ、近代は神を聖書のなかに、あるいは教会堂の内部に閉じ込め、社会の全面的世俗化への道を開く。神や神のことばから離れた《ロゴス》は人間の理性として独り歩きをはじめ、すべての領域での合理性の追求というたんなるメカニズムの推進者となる。

理性についての争い

こうして独り歩きを始めた人間の理性について、哲学上の論争が繰りひろげられる。すなわち、理性は人間にとって先天的にあたえられたものか、経験によって獲得されるものか、である。大陸の合理論、イギリスの経験論として集約されるこの論争は、その後の哲学や科学の発展に大きな影響をあたえたが、近代全体でみればその差異はそれほど大きくはない。なぜならあとでみるように、人間に先天的に、つまり遺伝として備わる構造や能力は、近代の理性概念とはまったく異なるものであり、それはまた同時に環境や経験との複雑な相互作用によって進化するものだからである。

だがこの論争のある意味で一方の当事者でありながら、それを超える視点を提供しているカントは、そのことを予知し、理性批判と題して人間の理性的認識の限界を明らかにした。

彼によれば、人間の認識は直観といいかえることもできる「先天的感性」からはじまるのであり、それはあらかじめ備わっている形式である空間と時間によって規定される。したがってそれは、感覚にもとづく恣意的なものではない。先天的感性でとらえられた対象は、さらに思考によって認識にいたる。その認識する力が知性である。だが知性は、これも先天的形式である論理によって規定されるがゆえに恣意的なものではない。この知性によってあたえられた認識を、いわば統合的に解釈し、判断するのが理性である。

だが誤解してはならない。感性または直観によってとらえられたものの実在性は疑いないが、しかしそれはあくまで人間の主観性内部に生じたことであって、実在する事物またはモノ自体は、主観性とは独立して存在するのであり、人間は直接それを認識し、とらえることはできないのだ。

では理性の役割はどのようなものか。それは主観性の内部で、意志とその行為を統御するものにほかならない。カントは認識の統御者である理性を《純粋理性》と名づけ、意志とその行為を統御する道徳的理性を《実践理性》と名づけた。宇宙や世界を認識する前者と、社会的動物である人間の行動や諸関係を律する後者とがあいまって人間の全体的な理性となる。

人間の主観性とモノ自体の世界とを結びつけようと試みたのが『判断力批判』であるが、それはかならずしも成功しているとはいいがたい。なぜなら彼はそこでも、依然として近代の二元論の枠組みにとどまっていて、両者を媒介する認識論的なブラック・ホールともいうべき項をみいだしていないからである。

いずれにせよ神の存在の証明不可能性を含め、ここには直観知と抽象知とを厳密に区分したオッカムの論理のはるかなこだまがひびいている。モノ自体を認識できないとする人間の主観性の限界を明らかにしながらカントは、純粋理性批判を通じて合理性追求の認識論的限界を明示し、その社会的追求には実践理性、つまり道徳的原理が不可欠であることを唱えた。

だが神を消失した近代は、この賢者の哲学的警告を無視する。自己の歴史以前のすべてが蒙昧なものであるとし、理性の照明によってそこにある合理的なものと非合理的なものとを仕分けする《啓蒙的理性》をへて、人間の理性は《近代理性》と名づくべきものへと変貌する。

近代理性とはなにか

近代理性とはなにか。それは歴史的には産業革命とともに登場したといってよい。それはまた、一方ではデカルトにはじまり、他方ではニュートンやライプニッツの自然科学体系の創設にはじまる機械論的世界像あるいは世界観の確立に負うところが大きい。むしろ産業革命こそ、そうした世界像の産物とさえいえるだろう。

この世界では、すべては二元論的に分割された時間と空間のなかの座標によって認識され、事物相互の関係は、原因のあとに結果が生じるという古典的因果律のもとで、偶然に左右されることのない必然的な決定となって結ばれる。諸天体はいわゆる引力によって正確な軌道をえがき、地球上の物体も力学的法則に従って正確に運動する。人間の世界でさえも基本的には、情念や非合理性を秘めながらも、社会が要求する法的あるいは経済的合理性にもとづいて正確に行動し、相互関係を結ぶ。

パスカルが批判したように、デカルトの神、あるいは一般的に近代の神は「時計仕掛けの神」となる。一秒という時間分割が、動物や人間の心臓の鼓動という生物学的根拠、つまり地球の生命のリズムに由来することさえも忘れられ、機械時計の刻む抽象的単位と化したように、神の姿は忘れ去られ、世界をうごかすその時計仕掛けの決定論的体系のみが残され、世界像そのものになる。

この世界像を記述する数学である微積分が、主役の座に躍りでる。その創始者の栄誉をニュートンとライプニッツが争うが、いずれにせよ世界の力学的記述を行うこの数学は、工学から経済学にいたるすべての領域でその輝かしい成果を誇ることになる。

産業革命は機械論的世界像のひとつの帰結である。それは単なるエネルギー革命であったのではない。すべての産業の機械化の出発点であるとともに、その機械化によっていかに産業の効率と生産性を高めるかという、合理性の果てしない追求へと産業体制そのものを転換する革命であった。それ以前の産業は、手工業であったというだけではなく、追求の対象は製品のいわば手触りの質であった。だがそれ以後は、製品は生産性にもとづく量の問題に還元され、質の追求はこれも数値化される品質管理の問題となる。

プロテスタントの禁欲倫理を離れ、これも利潤追求という合理性のメカニズムと化した資本主義が、産業革命の一層の促進をうながす。

こうした経済合理性追求の核となるのが近代理性にほかならない。理性は、カントが要求した道徳的な実践理性を振り払い、また純粋理性の認識の限界もわきまえず、ひたすら各領域の合理性追求のための道具となる。

そこには、フランス革命後のナポレオン戦争を契機として、軍事合理性までも生まれる。いかに効率的に敵を倒し、殺戮するかという目的のために、新しい戦術や兵器が考案される。道具となった理性は、その目的に奉仕する知の奴隷となる。のちに最先端の物理学者たちの知性を結集して創造された原子爆弾は、こうした軍事合理性追求の奴隷と化した近代理性の産物の象徴といえよう。原子力発電所は、そこから派生し、経済合理性――人類にとっての原子力の真のコストはいまなお隠されたままであり、だれもそれを知らない――の追求と結合して生まれた近代理性の別の顔なのだ。

近代理性と思想

この問題はさらにあとで追求することにしよう。ここでは近代理性が、いかにしていわゆる思想やイデオロギーとなっていったのか、考えてみよう。

それをおしすすめたのはヘーゲルである。ヘーゲルはカントの道徳的な実践理性を退け、純粋理性を《絶対知》なるものに高めようとした。絶対知とはなにか。それは神に代わる抽象的な絶対者が世界を創造し、構築したのだが、その構築は、人間の主観性にとって諸概念の論理的構築としてとらえられる。さらにその論理は、時間的には「措定」とその否定としての「反措定」、さらに両者の「統合」または「止揚」という弁証法によって展開し、解をみいだす。この弁証法を統御するのが理性であり、それによってえられた知が絶対知である。この絶対知がえがきだす世界こそが、絶対者の創造した世界そのものであり、そこでこそ人間の主観性が絶対者の《絶対精神》と一致するのである、と。

恐るべき観念と化したこの近代理性の主張は、個々の人間の存在やその社会的結びつきを無視するがゆえに、哲学的思索の道具と化した理性が壮大な論理を繰りひろげればひろげるほど、その背後にひろがるニヒリズムの深淵をかいまみせてくれる。ヘーゲルの強い影響を受けながらも、そのニヒリズムに反逆したキルケゴールが、個々の人間の実存性を主張し、倫理の源泉としての神へと回帰したのも当然である。また同じくヘーゲル主義者でありながら反逆したマルクスは、人間の社会的結びつきとその近代的基盤である経済に着目し、《絶対精神》を生産関係や階級闘争という唯物論的概念へと置き換え、弁証法を歴史の物質的・経済的展開に適用し、ヘーゲル弁証法を史的唯物論へと転倒させたのだ。

それらがいわゆる思想となり、さらにイデオロギーとなるのは必然である。なぜなら近代理性は、デカルト的二元論によって身体性あるいは自然そのものから切り離されているがゆえに、知そのものもたんなる観念となり、事物を全体的にとらえる力を失うからである。浮遊する知はそれぞれの主観性の解釈にゆだねられ、それぞれは自己の解釈にかなう観念知に結集することとなる。こうして知はいわゆる思想となり、政治力学に応ずるイデオロギーとなる。

あえてこれらをいわゆる思想だというのは、自己の身体性を含む自然をも全体的に認識する真の思想は、カントの実践理性をも包含し、人間の社会的絆をその内にもっているがため、他者の思想を排除せず、それこそ他者とのディアレクティケー（対話＝弁証法）をたえず行って修正する柔軟なものだからである。自然そのものが、共生という相互弁証法によって進化する柔軟性や可塑性をもつことは、のちに触れよう。

いずれにせよ近代に固有の硬直した思想やイデオロギーは、こうして創造され、人間の知の世界に猛威をふるうことになる。

イデオロギーとはなにか

近代に固有の観念的な思想は、これも近代に固有の国民国家《ネーション・ステート》にもとづき、その政治的形態としてのイデオロギーを派生させる。

いうまでもなく、近代以前にも国《カントリー》は存在した。その多くは複合部族というかたちや覇者による統合の強制によって成立したが、たとえばかつてアフリカに多く存在した複合部族国家のように、征服部族と被征服部族は、現世と来世の権力を分けもつ知の分業によって均衡をたもち、平和に共存してきた。古代のわが国もそうであったし、封建時代にあってもそれぞれの藩や所領にひとびとの帰属意識があり、地域の文化や経済を共有していた。「お国」あるいは「お国ぶり」ということばが、それら地域的な国が何よりも文化的共同体であることを示していた。

だが近代の国民国家はまったく異なる。フランス革命後の諸戦争がその意識と必要性を高めたように、それはなによりも他の国民国家に対抗する安全保障のための領土区分であり、そのための政治的・軍事的・経済的合理性にもとづいて組織された抽象的政体であった。その多くが多種族の集合体であるがゆえに、文化的共同体とその帰属意識を超えたなにかが必要とされる。それが国民国家への帰属意識としてのイデオロギー、とりわけナショナリズムというイデオロギーである。それはほんらいの種族的あるいは文化的アイデンティティではまったくなく、虚偽意識あるいは偽アイデンティティにほかならない。

近代に固有の観念的思想が、こうしたイデオロギーと癒着する。たとえばナショナリズムである。「国民」という実体が存在しないにもかかわらず、国民を統治する主権が想定され、国民という架空の実体が姿をあらわしはじめる。ホッブズ以来の近代思想は、個々の人間の「自然権」が放置されると「ヒトはヒトにとって狼である」闘争社会になるとして、その相互の社会契約によって個々人を超越した《絶対主権》が必要であるとした。フランス革命以後に成立した国民国家（イギリスはすでにそのレベルに達していたが）が、その絶対主権に特許状をあたえる。

こうして近代の主流となった政治思想は、自動的にナショナリズムを喚起する。なぜなら政治的合理性追求の帰結である絶対主権は、統治のための正当性と権力を必要とし、それは「国民」の委託であるという裏書きを要求するからである。この幻想を実現するためには、国家はつねに国民の安全や生活を保障する砦であることを周知させ、「国民」の忠誠心を確保しなくてはならない。だが忠誠心はいわゆる理性の産物ではない。それは文字通り心であり、情念にかかわるものである。

近代に固有のすべての領域での果てしない合理性追求は、その裏返しとしてつねに非合理性を生みだし、それを拡大するが、ここでもその法則は貫徹される。すなわち、こうした政治思想は、国家への忠誠心としてのナショナリズム、あるいは安全保障が脅かされたとき爆発的に生ずる愛国主義《ペイトリオティズム》を生むが、それはつねに情念や情動という危険な非合理性をはらむものであるのだ。

ナショナリズムだけではない。国民国家をつくりあげた政治思想は、さらにその内部に階級闘争や種族対立にかかわるイデオロギーを生みだし、国家を葛藤や闘争の渦に巻き込む。

マルクス主義と階級闘争

たしかにどの文明も、富の蓄積とともに経済的格差あるいは貧富の差を増大させた。だが非近代社会では氏族的あるいは地域的共同体の絆が強く、相互扶助の基盤が存在していたし、覇者や支配者も喜捨や布施のかたちで富を社会に還元することをつねとしていた。現在でも実質的に地方に残存しているインドのラージャ（藩王）たちは、こうした行為を義務と考え、庶民の尊敬を集めている。

しかしメカニズムと化した近代資本主義はちがう。たしかにいまでもプロテスタント地域の資本家たちは、蓄積した富の一部を財団の設立などを通じて社会や公共のために還元することを心がけ、その慣習は非プロテスタント地域や非キリスト教先進諸国にも浸透している。こうした人道主義を否定するつもりは毛頭ないが、その本質において近代資本主義は、利潤の蓄積とその投資という循環によって富を拡大するものであり、その富の拡大の恩恵を受ける社会層と、賃金と引き換えに労働する社会層との格差をひろげるメカニズムをおのずから内包している。そのうえこのメカニズムが生みだす社会的分業――男は賃金労働・女は家事という性差別的役割分業もここから生じた――は、機械産業への労働力の集中というかたちで古い共同体を解体させ、必然的にその相互扶助機能を奪っていく。二十世紀後半の福祉国家の登場まで、ここでは経済格差はそのまま放置され、人間の生存権やその意味での自然権の剝奪を妨げる保障はなにもなくなる。労働者の階層は、生存を護るネットをもたない世界史上ではじめての社会的弱者となる。

これが産業革命以後、種々の「社会主義」思想登場の背景にほかならない。十九世紀前半に大きな影響力をもったユートピア社会主義は、一方でフランス革命が提起した自由・平等・友愛の理念のうち、産業革命後に激化した自由競争的資本主義によって平等と友愛が放棄され、労働者が搾取されているという認識と、他方では信仰を、貧者や弱者の救済を使命とするキリスト教本来の姿に戻そうとする心情とが結びついた思想と運動にほかならない。産業革命や技術革新といった経済的進歩を前提としながら、それによって生じる富の、能力にもとづく公正な分配を主張したサン＝シモン主義を典型とするユートピア社会主義は、だが社会変革の明確な方法とその最終的ヴィジョンを示すことができず、しだいにマルクス主義的社会主義にとってかわられていく。

マルクス主義がユートピア社会主義と比較にならないほど圧倒的な影響力をもち、二十世紀に、少なくともそれにもとづく諸革命を引き起こし、いくつかの強大な実験的国家を築きあげたのは、それが近代思想であると同時に、ユートピア社会主義がもつことのできなかった強力なイデオロギーとなったからである。

ナショナリズムがそうであるように、社会主義思想も大衆の情念を喚起できる力をもったとき、恐るべきイデオロギーとなる。

マルクスはまず、人間の歴史を生産力とそれを規定する生産関係として見直す。生産力が増大し、富が蓄積されるにしたがい、それを統御する社会的生産関係とのあいだにさまざまな矛盾が生じ、変革が要求される。その変革がどのようなかたちであれ、こうして人類は種々の発展段階をへて最終的変革に到達する。これが歴史の唯物論的弁証法である。いまや資本の所有者であり、富を独占するブルジョアジーが支配する資本主義的生産関係を根本的に変革しないかぎり、労働力を搾取されているプロレタリアは貧困から解放されることはない。権力と軍や警察といった国家の暴力装置を占有するブルジョアジーに対抗するためには、プロレタリアも暴力による権力奪取、つまり革命を起こさなくてはならない、と。

この明快な思想的図式は、一方では経済学説のかたちをとって多くの知識人を魅了し、他方で現状に不満をいだく大衆の情念に強力に訴えかける。それらは合体してかつてない影響力をふるう近代イデオロギーとなる。だが歴史の唯物論的弁証法を説くこの思想とイデオロギーは、観念論的なヘーゲルの弁証法同様、その背後にニヒリズムの深淵をかいまみせる。

なぜなら、意識が存在を規定するのではなく、存在が意識を規定するというその哲学的立脚点は、のちにまさにこの存在論を再倒立させたのにひとしいハイデッガー的実存主義と盾の表裏であり、宇宙や自然や身体との不可分性といった人間の存在性全体がまったく不在の、いわば唯物論という観念論にすぎないからである。

そのことは、マルクス主義をさらに発展させたというマルクス＝レーニン主義にもとづくいわゆる社会主義諸国家の、宇宙や自然や身体を疎外した恐るべきイデオロギー専制による非人間性が開示しているが、それはまたのちに触れよう。

芸術における合理性の追求

近代の特質である合理性の追求は、芸術においても例外ではない。たとえば音楽である。古代や中世、あるいは誤って未開とよばれている社会の音楽は、それぞれの音の体系や楽器――そのかたちや材質を含め楽器も宇宙論の表現である――によって宇宙論や世界観を表現してきた。西欧においてもルネッサンスにいたるまではそうであった。だが神の人間化と人間の神化によって、音楽はたとえ神の讃美やキリストの受難であろうとも、それをうたう人間の喜怒哀楽の感情表現となる。

それによってバッハやヘンデルに代表されるバロックの偉大な音楽が創造されたことはたしかであるが、感情や情念の表現にも、合理性の追求やそれによる機械論的世界像の枠組みが要求される。つまり中世のような神の国といった超越的世界そのものの象徴的表現は消失し、その世界へのあこがれは残るとしても、現世の枠組みと人間化された理性が、感情や情念を支配しなくてはならないのだ。

音楽における理性支配は、近代に固有の音楽諸形式となってもたらされる。たとえば有名な、バッハのヴァイオリンのための無伴奏パルティータ第二番ニ短調のシャコンヌである。シャコンヌはもともとペルーのインディオの舞曲で、スペイン経由で西欧に入ってきたものであるが、人間化された西欧理性は形式を要求する。それが低音主題をもとにした変奏曲という形式である。

無伴奏ソナタ三曲とともにこの曲も、妻マリア・バルバラの死を悼む痛切な鎮魂曲として書かれたものであり、直接的な感情表現を超えた宇宙論的ともいえる深いひろがりをもつ曲であるが、形式は忠実に守られている。だが情念と理性とのこの絶妙な均衡を実現できない多くのものは、むしろ機械的に形式にしたがうこととなる。とりわけルネッサンスの遺産ともいうべき対位法的な音のうごきよりも、通奏低音《バッソ・コンティヌオ》による和声のうごきがしだいに優位になるにしたがって、それは終止形というかたちで完成され、終止形はますます機械的に適用されるようになる。偉大な作曲家たちは別として、多くのバロック音楽はきわめて類型的となる。これが音楽における近代理性の支配にほかならない。

さらに機械論的世界像は、音程の合理化をも要求する。それが平均律である。和声の動きの多様化につれて、ある調から他の調への移行という転調が要求されるようになる。それまでは純正律とよばれる一つの調の和音がもっとも美しくひびく調律であるが、転調が起こり、たとえば主音「ハ」への導音としてやや高めに調律されているハ長調の第七音が、転調してト長調主和音の第三音として使われると、それは不協和な和音になってしまう。

それを防ぐために、バロック時代に中間律という妥協的な調律が導入されたが、転調がさらに頻繁になると、それでも和音の美しさは保てない。それならば調律を機械的に合理化すればよいとして、一オクターヴ十二の半音を完全に均等に分割する平均律が登場する。いうまでもなくバッハの『平均律クラヴィア曲集』は、こうした平均律で調律された鍵盤楽器のために書かれたものである。

平均律の登場は、転調の多様化によって生じた問題を一気に解決したが、たとえば機械的に分割された和音の第三音は、もはや純正律のように美しくはひびかず、微妙な《濁り》

を残すことになる。不幸なことに平均律によって教育された現代人は、もはや純正律・平均律の音の識別さえできなくなり、たとえばインド古典音楽で使われている一オクターヴの二十二シュルティ（微小音程）――理論上は六十六あるとされる――といった繊細きわまりない音の差異などは、もはや聴きわけることはできない。

つまり音程の合理化は音の濁りという微小ではあるが非合理性を生みだし、それは人間の音の感受性を狂わす。それに慣れた近代人は、インドやイスラームの古典音楽にかぎらず、パプアのカルリ族の大小さまざまな笛の合奏からガムラン音楽、あるいはわが国の御神楽や雅楽にいたる非近代音楽の繊細な美やその宇宙論的内容を、まったく理解できず、不協和で野蛮な音楽としか感じられなくなってしまう。

平均律と和声終止形による理性的古典形式の優位は、作曲家たちにはしだいに耐えがたい拘束衣となる。その偉大な諸作品によって生涯をかけて古典形式の枠組みを大胆に打破していったベートーヴェンを手本として、ベルリオーズ、リスト、ワーグナーといったその後継者たちは拘束衣を脱ぎ捨てはじめ、近代を超える音楽をめざす。ブラームスを擁護する新古典主義という名の守旧派は、彼らが理性によって感情を統御する伝統を否定したとして、激しく非難する。

だがその流れは止めることはできない。ドビュッシー以後、音楽的合理主義は一部を除いて完全に解体する。その象徴的頂点はストラヴィンスキーの『春の祭典（犠牲式）』であり、劇場は喧騒と混乱の渦に巻き込まれ、舞台上の踊り手たちは音楽が聴こえなくなり、舞台袖に立つニジンスキーのいわば指揮によってかろうじて上演をつづける。だがこの作品は非近代音楽ではない。合理性を解体された音の体系を使って近代人が《野蛮人の非合理性》を表現したものにほかならない。その荒々しい音の向こうには、ニヒリズムの深淵が口を開けている。

歴史意識と歴史主義

あらゆる領域でのこうした合理性の追求は、西欧近代に固有の人間中心主義と、それに由来する特異な歴史意識や歴史主義から生じているといっていいだろう。

なぜなら、宇宙論を包摂する古代や「未開」の歴史観は、神々や神話と連続する時空のなかで人間をとらえ、その歴史を認識するがゆえに、合理性・非合理性の対立を超えた論理と無矛盾性《コンシステンシー》をもっている。したがってたとえ人間が主役として登場するとしても、その背後につねに神々の世界が存在し、その暗黙の関係のなかで歴史が展開するからである。逆にいえば歴史は伝説であって、語り継がれるべきその世界は、あくまでも日常性を超えた規範であり、教訓である。

人間中心主義的な近代の歴史意識は、日常性にかかわるできごとのレベルのみをリアリティとし、そこで展開する政治的・社会的諸関係が歴史であるとする。いいかえれば歴史は《事実》の積み重ねであり、偶然性の継続にほかならず、それ自体が論理やましてや無矛盾性をもつわけではない。それに対する《解釈》が一般的な正統性を獲得することによって、はじめてそれは公の歴史となる。

だが、その解釈をめぐって熾烈な思想的・イデオロギー的な戦いがはじまる。それが諸観念の戦いであるがゆえに、正統性を獲得した公認の解釈は逆に《神話》と化す。近代諸国家の建国の歴史は、こうして国民にとっての規範であり、教訓である《建国神話》となるのだ。別のいいかたをすれば、建国神話はそれに正統性をあたえた権力とその解釈が没落すれば、おのずから別の解釈へと変わらざるをえない。

ヘーゲルに発し、マルクスをも含む広義の歴史主義は、この歴史の変転というよりも歴史解釈の変転を、いわば絶対精神や史的唯物論によって批判し、そこに人類進歩の段階的な一貫性《コンシステンシー》を認めようとする思想であった。だがそれが根本的に誤っているのは、人間の歴史がプラクシス（意識的行為）によってのみ造られると考えた点にある。したがってマルクス主義は、歴史を階級闘争などのプラクシスによって変えることができるという幻想をいだき、それにもとづく暴力革命を提唱するにいたった。

しかし人間の歴史を生みだすのはプラクシスだけではない。むしろ人間の身体性、いいかえれば内なる自然にもとづいて脳の大きな領域を占めるプラティーク（無意識的行動）のレベルこそ、プラクシスを支える源泉にほかならない。古代や「未開」の歴史が伝説であり、しかも無矛盾であるというのは、このプラティークのレベルの超合理的な論理体系がそれを創造したことを物語っている。

たしかにその具体的なあらわれ方は、それぞれの種族によって異なっている。たとえばわが国の『古事記』である。それは日常性を超えた宇宙や大自然の諸現象、そしてそれらを統御する天体の運行や季節の循環といった諸法則を、神々が登場するきわめて人間化された劇として置き換えた物語にほかならない。

その人間的な劇を分析すれば、地球誕生の悠久の歴史、父なる天と母なる大地の交わりによる宇宙の運行の開始、太陽の女神とその弟にして水の循環をつかさどる大神による、冬至から夏至にいたる豊饒の保証としての儀礼暦のはじまりなど、わが国の自然条件に裏づけられた科学的な体系が浮かび上がる。

すなわち古代や「未開」のひとびとの精密な観察による自然科学的諸法則の発見が、おのずから神話を創りだしたのであり、今日と違うところは、それを公式や数値で表現するのではなく、神話的思考により神々の姿やその物語として表現している点にある。

この神話的思考こそ、無意識の領域を支配している人間の基底的な思考体系にほかならない。古代や「未開」では、無意識にたくわえられ、また絶えざる種族的教育や儀礼祭祀によって喚起される神話的思考にもとづき、日常的なレベルでの意識的な思考や行為が規定される。つまりプラクシス（意識的行為）は、プラティーク（無意識的行動）のレベルを支配する神話的思考によって統御されるのだ。

だがイデオロギーの左右を問わず近代を支配する合理主義とそのプラクシスは、観念である理性によってプラティークのレベルや神話的思考を非合理性とみなし、抑圧する。神話的思考は迷信やオカルトといった無惨な断片となり、残余は近代理性に反逆する情念や情動という非合理性となり、理性への復讐の機会をうかがうこととなる。

こうしてプラクシスとそれによって造られるとする歴史のみを正当なものと認める近代

の歴史意識およびその思想としての歴史主義は、やがてイデオロギーが引き起こす革命の動乱や国家間の戦争によって血にまみれ、自らの誤りをさらけだす。

近代固有の戦争と暴力革命

たしかに古代や「未開」でも戦争があり、反乱があった。だが近代の戦争や暴力革命は、その本質においてそれらとまったく異なる。

たとえば一六八〇年のプエブロ大反乱である。スペインによる軍事的征服という近代とのはじめての接触を経験した北米南西部のプエブロ諸族はこの年、強制的にカトリックに改宗させ、固有の文化の放棄を迫るスペイン人の圧制に抗して武力による一斉蜂起を実行した。多くのスペイン人兵士や修道士が殺され、プエブロ諸族は一時的勝利をおさめたが、この暴力は、支配者の暴力――改宗に応じないものは拷問を受け、ときには殺され、多くの儀礼施設などが破壊された――に対する対抗暴力であるだけではなく、根本的に種族的アイデンティティや固有文化の防衛というプラティーク・レベルでの反逆であり、無意識的行動が衝動と化したものである。いわば本能的なものであり、プラティークがプラクシスを突き動かしたといえよう。

だが近代の暴力革命は、プラクシスとイデオロギーの産物であり、その意味で近代理性が生みだしたものである。ここでは暴力は手段ではあるが綿密に計画されたプラクシスであり、イデオロギーとしての目的実現のために、暴力それ自体が《目的合理性》を追求することになる。そのときどきの状況に応じた暴力行使は、おのずから効率と有効性を求め、それが結果として目的実現のための《価値合理性》を損なうことになる。暴力が追い求める合理性が、目的のもつ合理性を凌駕するのだ。これがマハートマ・ガンディーのいう、誤った手段が目的をゆがめる「目的と手段の相関関係」である。

そのうえここでは暴力が合理的プラクシスであるがゆえに、暴力行使の場では非合理化されたプラティークが盲目的情念や情動となって爆発する。断頭台に飛ぶ首や血しぶき、絞首台にぶら下がる遺体、あるいは銃声と火花や硝煙とともに壁の前で崩れ落ちる被処刑者たちの列に歓声を送り、熱狂する群衆という暴力革命固有の諸場面は、そこに発する。

私は自衛手段としての個人の暴力以外いっさいの暴力を否定し、したがってそれを擁護するつもりは毛頭ないが、古代や「未開」の暴力は、たとえ戦争の場であっても、近代の暴力とは概念が異なっていると考える。

たとえば「未開」では定期的に部族間戦争、あるいは部族内での氏族間戦争が行われてきた。それらではまたしばしばスカルプ（頭皮）狩りや首狩りがともない、近代からすると《野蛮》で《残虐》きわまりない風習と考えられてきた。だがそれらは人体の頭部に霊力が宿るという普遍的な神話的思考にもとづくものであり、戦争そのものも、この霊力の争奪という半ば儀礼的なものであった。源平合戦以来おなじみのわが国の首狩りの風習も、こうした儀礼にほかならない。

それに対してたしかに古代諸文明には覇権をあらそい、征服と被征服の関係をともなう大規模な戦争があった。「未開」と異なり、そこには富の蓄積があり、その収奪という経済的動機がプラクシス・レベルでの覇権の争奪を呼び起こしていた。にもかかわらず、そこにはまた宗教など宇宙論や世界観にかかわる種族的で儀礼的な動機が存在し、その優劣を競うプラティーク・レベルの争点が深く隠されていた。戦争は暴力ではあるが、人間や種族の全体性にかかわっていたのだ。

しかし近代では異なる。目的ではなく手段としての暴力それ自体が合理的メカニズムとなるがゆえに、とりわけ戦争では、いかに効率的に敵を殲滅するか科学的・体系的に追求することが逆に目的となる。こうして兵器や戦略・戦術の開発競争がはじまり、こうした軍事的合理性にもとづき、大量殺戮や徹底破壊の方策が正当化される。軍事的合理性の究極の実現が核兵器であり、ヒロシマ・ナガサキの現実であることはいうまでもない。

暴力革命同様、大衆の非合理的な情動や情念は、ナショナリズム・イデオロギーに結びつき、愛国主義の熱狂を呼び起こす。国家による冷酷な軍事合理性貫徹の蔭に、狂信的な愛国心の嵐が吹き荒れる。これが近代の戦争である。

ナチズムは、近代合理主義や理性に対しての非合理性の反逆であるのではなく、軍事的合理性や経済的合理性など、すべての領域での合理性追求を結集した近代理性の所産であり、そこに合理性の盾の裏面である非合理化された情念や情動をナチ・イデオロギーにたくみに結びつけた稀な成功例といえよう。ナチズムが開いてみせたニヒリズムの深淵は、ナチズム固有のものではない。それは近代の合理性追求が必然的にかいまみせるものなのだ。

ニヒリズムの哲学

二度の世界大戦とヒロシマ・ナガサキを招来した二十世紀は、数千万におよぶ死者と、当時残された広大な廃墟に象徴されるように、歴史上ニヒリズムの時代として記憶されるだろう。

だがニヒリズムの時代が、それにふさわしいニヒリズムの哲学や思想をもたないということはありえない。人間の存在基盤としての身体性と自然を疎外し、イデオロギーの専制支配による非人間的な国家体制を築きあげたマルクス＝レーニン主義についてはすでに述べた。ここではそれに対抗したいわゆる西側諸国に生まれたニヒリズムの哲学と思想を検討しよう。

それはデカルト二元論から出発した主観主義と客観主義が入り込んだ、究極の袋小路である実存主義と行動主義である。

実存主義の先駆者はいうまでもなくニーチェであるが、彼はそれを体系づけたのではなく、キリスト教を根底におくヨーロッパの近代を徹底的に批判し、「神は死んだ」というラディカルな言明に象徴されるニヒリズム世界の到来を待望し、そこにのみ《超人》の権力による新しい世界が開始されるとした。超人とは近代理性のよって立つ「善悪の彼岸」に存在するものであり、ショーペンハウアーのいう宇宙の盲目の意志の永遠回帰、つまり力の源泉に自己の実存的意志をゆだねるものである。これはまた近代のニヒリズムをニヒリズムによって克服しようという逆の歴史主義的ニヒリズムといえるだろう。

他方実存主義は哲学的方法論のかたちをもとる。それが現象学である。それはまず、デカルトのコギト（われ思う）の徹底的な純化を求める。なにものにも遮られない純粋意識の地平に映じたもの、それが現象とされる。純粋意識とは認識するものの主観性をも超えた超越論的主観性であって、そこではじめて認識の対象はみずからの明証性を明らかにする。つまり対象の存在それ自体が明示され、したがってこの現象学的還元という方法によってすべての事象の分析が可能となり、世界認識がおのずから開けるものとした。

この純粋意識の志向性がみずからの存在に向けられるとき、そこに世界と不可分に向き合う自己の《実存》が現れでる。デカルトのコギト、すなわち主観性概念ではこの実存はとらえられない。現象学的還元によるこの超越論的主観性によって、はじめてデカルトのいうスム、つまり存在論としての自己の存在のあり方が認識できるのだ、とされる。

ハイデッガーは、この人間の実存性を現存在と名づけ、それを手がかりに壮大な哲学的論理の城塞を築きあげる。現存在は、みずからの時間性と歴史性によって世界内存在となり、世界をリアリティとして把握することを可能にする。それにより現存在は、他者とのかかわりという世界性《ヴェルトリッヒカイト》を獲得する。フッサールが超越論的主観性の相互関連として《相互主観性（間主観性＝インターサブジェクティヴィティ）》という概念を提示したが、ハイデッガーはそれを拡大し、人間間の相互主観性だけではなく、リアリティとしての世界とのかかわりとして《世界性》概念を提示する。

だがこの壮大な哲学的論理の城塞は、きわめて脆弱な陥穽を隠しもっている。時間性を媒介として現存在と世界性は結ばれるが、その絆はなんと、《配慮《ゾルゲ》》や《親密さ《フェアトラウト》》であるという。俗に性的な関係にも使われるこれらの用語は、だがそこに隠されたニヒリズムの深淵をかいま見せる。なぜなら、それによって個々の現存在は世界性を獲得し、《民族《フォルク》》という集団に統合され、これら情動的で親密な関係によって歴史のプラクシス的な変革を可能にするとされるからである。

この政治的実現がナチズムであることはいうまでもない。たんにナチスの党員であっただけではなく、ハイデッガーの実存哲学は、ナチズムのもっとも深遠な哲学であり、思想であったのだ。

客観主義の陥穽

究極の主観主義である実存主義を、一見唯物論的な客観主義であるマルクス主義と、いわゆる弁証法によって統合しようと試みたのがサルトルであるが、その『弁証法的理性批判』は、その挫折と破綻の航跡を明らかにしている。

ハイデッガーの世界性の概念に対して、サルトルは人間の実存が社会性を獲得するのは、歴史のそれぞれの瞬間において、実存としての自己を投入する《投企《プロジェ》》というプラクシスによってであるとする。そこからマルクス主義への投企がくわだてられる。だがその瞬間に恐るべき矛盾が生ずる。すなわち超越論的主観性にもとづく実存は、イデオロギーのレベルへといわば後退することによって、たんなる近代理性の担い手としての主観性に戻ることになるからである。

サルトルはそれを分析的理性と名づけ、歴史を動かす《弁証法的理性》の発見学的な役割を担うものとする。だがヘーゲルやマルクス以来のこの絶対的な歴史主義は、個々の現存在あるいは実存を押しつぶす超越論的客観性ともいうべき巨大なローラーであって、両者を媒介するものは、少なくともこの哲学または思想のなかにはまったく存在しない。つまり超越論的主観性と超越論的客観性とは、たとえ弁証法を媒介としても両立しえない概念なのだ。

この袋小路を横目に、アングロサクソンの経験論は、人間科学を自然科学的な厳密科学にしようとする努力から、客観主義の別の袋小路に入り込む。それが行動主義《ビヘイヴィアリズム》であり、またその展開ともいうべき広義の行動科学である。

その基本的思考体系は、人間や社会にかかわるすべてのものを主観性のかかわりから解放し、観察や計測が可能な《行動》としてのみとらえ、その統計的性質や法則を数理的に解析し、認識することにある。すなわち人間または社会の内面をすべてブラック・ボックスとし、そこへの入力または刺激、そこからの出力または反応のみを数量的に観察し、多変量解析など数学的手段を借りて解析する。心理学から経済学にいたる人間科学の広大な領域に応用され、一時的に多大の成功を収めている。

だがここには、ヘーゲルやマルクスの歴史主義とはまったく異なりはするが、別の超越論的客観性が存在する。たしかに近年、多変量解析でも、知能や性格や不安などといったブラック・ボックスの内部にかかわるさまざまな要素を《潜在変数》として方程式に導入し、解析の精度をあげる試みが定着している。しかしブラック・ボックスの内部でさえ、近代の心理学や精神分析が考えてきたようなメカニズム――合理性を強制する近代社会にのみ現れる非合理的なもの――ではなく、より深いレベルで構造的であり、潜在変数はそのレベルにまで達することはできないがゆえに、解析の結果は疑似客観性にとどまる。いいかえればそれは、解析するものと解析されるものとの主観性・客観性の関係を意図的に超えた次元を措定するという点で、超越論的客観性なのだ。

超越論的客観性は、超越論的主観性の盾の裏面にほかならない。いずれも近代の人間中心主義とそこから生ずるロゴス（言語＝理性）中心主義のうえに成立する思想的または科学的観念であって、近代社会の部分的解釈や解析に役立つとしても、いわば宇宙内＝自然内存在である人間の全体性をとらえることはできない。

近代自然科学の陥穽

ニュートンやライプニッツからはじまる近代自然科学を支配したのは、すでに述べたように、近代の時代精神ともいうべき機械論的世界像であった。それが描きだす、時間に関しては完全に可逆的な決定論的世界、微積分学がその法則や数値としての実体を仔細に明らかにした精密な決定論的世界は、自然科学の知の城塞のもっとも堅固な一角とみられてきた。

だが、近代合理主義に最初に疑問を投げかけたロマン主義と軌を一にして登場した熱力学が、不可逆性やエントロピーといういわば呪文の術語によってこの可逆的な決定論に深刻な疑問を投げかけたとき、その強固な防壁はゆらぎはじめる。機械論的決定論によって描きだされた世界像そのものが、音を立てて崩れはじめる。

デカルト的座標軸やニュートンの引力もやがて、アインシュタインの登場によって世界の描像ではないことが明らかとなる。時間と空間の不可分な時空概念、普遍定数としての光速、その時空での物理的法則は同一であっても、異なった座標系では運動の速度によって相互の関係は相対的に異なったものとなる。あるいは重力とは時空の歪み、正確にはリーマン多様体の曲率である。特殊・一般相対性理論の提示したこれら物理的概念の変革は、当時考えられていたようなニュートン力学の補正などではなく、機械論的世界像崩壊の引き鉄であることがやがて明らかとなる。

それにもまして世界像の書き換えに貢献したのは、いうまでもなく量子力学であった。

だがこの量子力学の創始者たちの多くは、それが明らかにした微視的世界の異常さに戸惑いながらも、それをなんとか伝統的な世界像のなかに収納しようと悪戦苦闘し、ついにコペンハーゲン解釈という、デカルト的二元論の量子力学版を創造するにいたる。その思考の軌跡そのものが、実存主義と行動主義との乖離に似た、近代の科学哲学の陥ったニヒリズムの陥穽をかいまみせてくれる。

量子とは、従来物質の最小単位とされてきたいわゆる素粒子のもつエネルギーの束であり、それは波動関数とよばれる確率の波としてしかとらえられない。その動きはわれわれの生きている古典的世界の法則にはまったく従わず、そこでは原因の後で結果が生じるという古典的因果律さえも成立しない。だが観測者がそれを観測すると、この茫漠とした確率論の世界は、たちまち観測者の属する古典的世界の決定論的法則に律されてしまう。これを波動関数の崩壊または（量子の）状態ベクトルの還元というが、これらの術語は、量子の世界そのものと観測者の属する世界との絶対的な矛盾あるいは二律背反を現わしている。

つまりこれがコペンハーゲン解釈と呼ばれるものなのだが、確率の波のなかに漂う微視的世界と観測者の巨視的世界とを二元論で分かつかぎり、この絶対的矛盾からは逃れられない。有名な《シュレーディンガーの猫》論文（「量子力学の現状」一九三五年）でシュレーディンガーはこの矛盾を鋭く告発するが、そのことは第四章で触れよう。

しかしこの二元論の絶対的矛盾を《相補性》の隠れ蓑の下に蔽い隠したコペンハーゲン解釈は、やがて量子力学の主流となり、二十世紀後半には、すべての問題を解決できるはずの「標準理論」または「標準モデル」として完成されるにいたった。高エネルギー加速器による数々の実験は「標準理論」のかなりの部分を立証し、それが描く物理学的世界像は、疑いえない真理とみなされる。

だがこの絶対的矛盾は、いたるところでその真理をほころびさせる。重力・電磁力・核の強い力・弱い力の四つの力のうち、このモデルは重力を記述できず、宇宙の全体像を描くことはできない。膨大な予算をつぎ込み強力な加速器を次々と建設していっても、そこから逃れ去る《粒子》をとらえることはできない。

そのうえ思考体系の絶対的矛盾がある。つまりコペンハーゲン解釈の創始者ニールス・ボーアは、「量子世界などというものは存在しない。存在するのは量子力学の抽象的な記述だけである」と言明したが、このことばほど近代科学哲学にひそむ深いニヒリズムを表現するものはない。

それは記述できるもののみがリアリティであるとする論理実証主義の物理学版である。だが論理実証主義の創始者ヴィトゲンシュタインは、「記述しうるものは正確に語れ、残余は沈黙のみ」と、沈黙の広大な領域、つまりカントのいうモノ自体がもつ世界を認識し、別のリアリティと考えていたが、ここにはそのような自覚はない。しかもその記述そのものが波動関数の崩壊した世界の記述でしかないとすれば、ボーアの言明のもつニヒリズムは、より深いものといわざるをえない。これは一見究極のプラトン主義にもみえるが、プラトンは逆にイデアの世界、つまり究極の観念の世界は向こう側に実在すると考えていたのであり、記述されたリアリティを含めた現世は、幻影にすぎないとした。プラトンはこういったにちがいない。すなわち向こう側にある量子世界は実在する。だが波動関数の崩壊を描く量子力学の抽象的な記述が逆に幻影なのだ、と。

遺伝子決定論の挫折

物理学における量子力学の発見に相当するのは、DNA・RNA構造の解明にはじまる分子生物学の展開であるだろう。

生物の細胞核にあるDNAの二重螺旋構造は、三種の塩基の組と二〇種のアミノ酸とのランダムな結合から成りたつ鎖であり、その暗号化された情報がさまざまな種類のたんぱく質を造りだし、生体を生みだしていく。さらにそれぞれの生物に固有の数の染色体は、遺伝子とその配列つまりゲノムを構成し、近年ヒトやその他の生物のゲノムが、次々と解読されるにいたった。分子生物学と情報技術の驚くべき成果である。

だがDNA・RNA構造の発見者のひとりであるジェームズ・ワトソンは、量子力学の世界にデカルト的二元論ともいうべきものを適用したボーア同様、この発見に旧来のダーウィン主義正統派の解釈を適用し、遺伝子決定論を提唱するにいたった。

ダーウィン主義正統派の解釈とは、生物の進化はダーウィンのいう自然選択とメンデルの主張する遺伝の突然変異によってのみ起こるとするものである。生物の進化はまず、つねにあたえられた環境に最適な選択をする遺伝子、つまり遺伝の次世代への継承のみに専心する《利己的な遺伝子》が選ぶ自然選択によるものであり、ときおり偶発的に起こる突然変異のみが、遺伝子に変化を引き起こし、形態や種の変化そのものをもたらす、と。

ダーウィン進化論とメンデル遺伝学とを巧妙に合体させたこの正統派解釈は、一方では、二十世紀初頭のスペンサーやT・H・ハクスリーの社会ダーウィン主義——いわゆる適者生存や弱肉強食、それによる人種差別や階級差別の必然性を説いた——や、そこからナチス優生学にいたる人種主義的生物学を生みだし、他方では物理学におけるコペンハーゲン解釈同様、分子生物学にいたる生物学の科学方法論の主流の座を占めてきた。

遺伝子決定論とは、環境の影響は限定的であるとし、生体の形成からその行動や思考形態、あるいは障害や病変にいたるまで、すべてが遺伝子とその配列《ゲノム》によって決定されるとするものである。したがってヒトにおいても、病気の治療や出生前の胎児の診断など、遺伝子の組成を知ることが諸問題解決の鍵となり、人間の一生を予知可能にするともされる。

この遺伝子決定論は、二十世紀後半の生物学を支配し、新ダーウィン主義とも呼ばれるイデオロギーともなった。すなわち近代文明に対する根本的な疑義や問いかけが起こった一九六〇年代末から七〇年代初頭への反動として台頭した、政治的新保守主義と経済的新自由主義の双子の思想は、自己責任や自助《セルフ・ヘルプ》の名のもとに拡大した経済的格差にあえぐひとびとや諸企業に、弱肉強食や種々の差別は生物学的な必然であり、すぐれた遺伝子をもつもののみが生き残り、勝利を手にするという新ダーウィン主義のイデオロギーを鼓吹した。

この新ダーウィン主義がニヒリズムであるのは、遺伝子やその諸機能の解析、さらにはそれが生体のすべてを決定するという抽象的で科学的な記述が、コペンハーゲン解釈同様、唯一のリアリティであるとする点にある。つまりその記述の向こう側にある、生体の複雑なダイナミズムこそが本来のリアリティであり、ときにはその解析や記述をくつがえすかもしれないという、モノ自体の世界のもつ深い意味が無視されている。

すでに十九世紀末から二十世紀初頭にかけて、菌糸類の生態学的研究に触発されたピョートル・クロポトキンは、生物世界を決定しているのは弱肉強食的な種相互の競争ではなく、むしろ相互扶助の《共生《シンバイオシス》》であるとし、社会ダーウィン主義を厳しく批判した。近年微生物科学の驚くべき進展によって、ウイルスやバクテリアにいたる微生物が生物全体と緻密な共生のネットワークを造りだし、生物のみならず地球そのものの進化に大きな役割を演じていることが明らかとなり、クロポトキンの業績が再評価されつつある。

さらに新しく登場したエピジェネティックス（後発生遺伝学）は、分子生物学が解明した遺伝子《ゲノム》の配列への後発的な環境の影響を明らかにし、あらゆるレベルにおける獲得形質の遺伝を実証することによって、ダーウィン進化論の大きな書き換えを促しているが、共生の問題とともに、これは第四章でくわしく取り上げることにしよう。

絶対的袋小路としてのニヒリズム

近代に固有の合理性概念を、マックス・ウェーバーは《形式合理性》と名づけたが、それは、他の諸文明を律してきた合理性が、宗教的価値や神話的宇宙論などそれぞれ固有の思考体系への忠誠という《価値合理性》であったのに対して、もはやそのような目的をもたず、合理性そのものの追求を自己目的とするにいたったからである。

だがこの価値合理性の概念をもってしても、非近代や古代の諸社会や諸文明の思考体系を全体的にとらえることはできない。なぜなら、近代の形式合理性に批判的であったウェーバーでさえも、人間の行為や行動をプラクシス（意識的行為）のレベルでしか認識していなかったからである。

すでに述べたように、非近代や古代では人間の思考は、むしろプラティーク（無意識的行動）のレベルを基盤とし、それとの弁証法的相互作用の上にプラクシスを機能させているからである。歴史であれ科学であれ、プラクシスのレベルでのみの解析や解釈はおのずから限界を設定し、全体性の認識をみずから妨害することになる。さらにこのプラクシスのレベルでの認識にしても、合理的操作の結果えられた記述のみがリアリティであり、真理であるとする論理実証主義は、いわば形式合理性の極北にある合理性の自己目的化にほかならない。全体性の認識を虚無のなかに放置する思考体系をニヒリズムといわずして、なにをニヒリズムというべきか。

プロテスタント的倫理、つまりキリスト教的価値合理性から出発した近代資本主義は、利潤の一部の社会還元というマナーを残してその価値を失い、利潤とコストの追求という形式合理性の罠に陥り、経済的合理性と効率を最大限に追求する体系と化す。その頂点としてイデオロギーとしての新自由主義は、巨大流動資金の最適な運用をはかる金融工学に裏づけられて、経済的世界制覇を目指すグローバリズムを生みだすにいたる。だがそれはなにを目的とし、価値としているのか。体系的な経済的世界制覇そのものが目的であって、それ以外になにもない。これを経済的ニヒリズムといわずしてなんといおう。

リーマン・ショックからはじまり、ユーロ危機にいたるグローバリズムの破綻は、近代資本主義が陥った形式合理性の陥穽がいかに深く巨大なものであるかを物語っている。この外挿法的未来に希望はない。

さらにグローバリズムのもう一方の顔である、イデオロギーとしての新保守主義がもたらした文化の画一化である。近代民主主義と自由な市場経済を両輪とするブルドーザー、ときには武力をともなうブルドーザーで異文明や異文化を押しつぶし、世界を均斉化しようとするこのイデオロギーによって、近代化されたいたるところで経済的価値のみが至上とされる。生活や労働は、富を生みだし蓄積するたんなる手段と化し、先進諸国の憲法で保証されている幸福追求の権利は、私権の拡張と同一視され、物質的利便や快適さの実現が幸福とされる。だが皮肉なことにグローバリズムは、富の偏在と格差の拡大によって、社会の圧倒的多数をそのような「幸福」から疎外する。疎外されたひとびとの大多数は、そのような幸福を追求しつづけるがゆえに欲求不満をつのらせ、心理的飢餓に陥る。思考やその基盤である文化そのものがそのように画一化された型板《テンプレート》となり、ひとそれぞれがそのコピーでしかなくなるがゆえに、救いはもはやどこにもない。これを文化のニヒリズムといわずしてなんといおう。

空前の物質的繁栄を手にしたにもかかわらず、近代世界の内面の荒廃は目を蔽うばかりである。近代の内部に、救いはもはやどこにもないのだろうか。

次章では、この「ニヒリズムへの道」に抗して脱近代の新しい知や思想を近代の内部から構築しようとしたひとびとについて、さらには科学自体の内部から、近代の枠組みやその世界像を超える突破口をうがちつつある最先端の取り組みにいたるまで、考察を進めよう。

第二章

ニヒリズムに抗して——近代のリアリティを超えて

星空とカント

「われらの内なる道徳律と、われらの上なる星空、カント！」は、金銭についての日常的なやりとりを批判するまわりのひとたちの会話のさなか、ベートーヴェンが突如そこに書き記したことばである。一八二〇年、『ミサ・ソレムニス』の作曲に悪戦苦闘――その根本原因はキリスト教正統派と異なる彼のアッシジのフランチェスコ風の自然な宗教観にある――し、そのかたわらで彼の最も深い内面の告白ともいうべき最後の三つのピアノ・ソナタを書いていた時期である。

当時の天文学の最高水準の理論を援用しながら宇宙の進化を考察したカントの『一般自然史と天文理論』は彼の愛読書のひとつであり、この文章は、それと『実践理性批判』の核心とが彼のなかでひらめきあった瞬間を記している。つまり道徳を律する実践理性は、一見日常的な世界を統御しているようにみえるが、それは実は《星々のちりばめられた天空［原文］》を律する宇宙の法――これもベートーヴェンの愛したヒンドゥー哲学でいえばブラフマン――と照応する。いいかえれば宇宙の法《ブラフマン》と人間の法《ダルマ》は同一である、あるいは正確に数学用語でいえば、両者は同形《アイソモーフィズム》でなくてはならないというものである。

ここには明らかにホッブズのいう「ヒトがヒトにとって狼である」ような《自然状態》を脱するために、社会契約や法秩序が必要とされる、とする近代固有の社会道徳概念とはまったく異質の考えがある。神が創造した天空の整然とした機械論的な秩序は別世界のものであり、人間社会の混沌は、人間固有の道徳や法によって秩序づけられなくてはならないとするこの思考体系は、デカルト的二元論の典型的な現れであるが、ベートーヴェンの考え方は、星々にちりばめられた天空の美しさとそれを律する法則は、同時に人間社会を美的に形成し、律していく道徳律をも支配しているし、また支配しなくてはならないというヒンドゥー的・道教的一元論にほかならない。

音楽的合理性の束縛を解き放ち、変幻自在な仕方で途方もなく深い世界を描きだし、いまなおわれわれを惹きつけてやまないベートーヴェンの後期様式の諸作品は、この目にみえる世界を超えたリアリティを追求し、表現するこうした脱近代的な思考体系から導きだされたものである。

カントやベートーヴェンの時代に比べ、現在この目にみえるわれわれの宇宙についての知見は驚くほど深くなっている。だがそれは理解が深まったというよりも、当時よりもいっそう謎が深まったというべきであろう。

たとえば宇宙の全質量のなかで、星々としてきらめき、あるいは星雲として渦巻き、またガスとしてただよう目にみえる物質はたかだか数パーセントを占めるにすぎない。残余は、ハッブル宇宙望遠鏡のような高精度の視覚的観測機器を通じてもわれわれの目にはみえない、暗黒物質《ダークマター》や暗黒エネルギーとよばれる未知の物質やエネルギーであって、しかもそれらが発する力は、何百万と存在する無数の銀河系に影響をあたえ、宇宙に、なにもない多くの泡状の空間と、その泡の表面に浮かぶ無数の銀河系という不思議な光景を現出させている。暗黒物質及び暗黒エネルギーとはなにか、すくなくとも現在その正体はまったく不明である。

あるいはわれわれの属する天の川銀河の中心にも存在する巨大ブラック・ホールは、一体なんであるのか。たしかに巨大な星が終末をむかえ、大爆発後に急速に収縮するとき、それは生まれる。だがイヴェント・ホライズンとよばれる平面を超えると、光さえも脱出できない恐るべき重力の作用ですべてが飲みこまれてしまうブラック・ホールは、その向こう側になにがあるのか。さまざまな仮説や推論がなされているが、その実体は依然として不明である。

そのうえあとで触れるように、大宇宙はこのわれわれの目にみえる宇宙だけではない、無数の宇宙が重ねあわさって存在しているのだ、それが目にみえないのは、二次元平面に住む生物にとっては三次元空間が目にみえず、認識できないように、われわれ四次元時空に住むものにとって、それ以上の多次元時空は目にみえず、認識できないからだ、とする多重世界解釈が、コペンハーゲン解釈に代わって物理学的宇宙論の主流になりつつある。

すなわち自然科学の最先端では、世界像が、そしてリアリティ概念が大きく変わりつつある。しかしベートーヴェンが「われらの内なる道徳律と、われらの上なる星空、カント！」と書いたとき、少なくとも彼の内面には、この目にみえる現世を超えた世界への大いなる予感がひらめいていたのだ。

一元論の伝統

しかし思想の歴史のなかで、ベートーヴェンは突然現れたわけではない。西欧でも古典的古代から中世あるいはルネッサンスにかけて、プラトンに代表されるイデアの一元論、またプラトンの背後に透けてみえるインドからエジプトにかけての東洋や中近東の一元論が、さまざまな形で継承されつづけていた。

エジプトのピラミッドからはじまり、地中海沿岸にひろがり、最終的にイスラーム建築術の圧倒的な影響下で興隆した西欧中世のゴシック建築にいたる石造大建築の技術は、石工《メイソン》たちに世襲的に伝承されてきた。石工は、今でいう建築家や都市計画者であり、神学者や哲学者あるいは数学者や天文学者たちとならぶ当時の最高の知識人であった。

中世末期、イスラームのアリストテレス哲学の強い影響で西欧の神学や哲学の主流がアリストテレス的二元論に大きく傾斜したにもかかわらず、アッシジのフランチェスコ以来のプラトン的一元論は神学の内部でさえも生き残っただけではなく、これら石工たちを通じても継承された。なぜなら、彼らにとってイデアである建築の最終的イメージや構想は、同時にこの目にみえる世界で積み上げていく石という物質と一体でなくてはならず、両者は不可分だったからである。

この石工たちの職能組合《ギルド》が、おそらくフリーメイソンリーの起源であるだろう。思考と身体は不可分であり、イデアと目にみえる世界は一体であるべきであり、個人としての修行だけではなく、プラトンが目指したように、イデアとしての理想境の実現を現実社会に求めるべきである、とするフリーメイソンの思想に共鳴するものは、やがてだれでもが入会できるようになった。たびたびの政治的弾圧にあったがため、それは半ば秘密結社となり、モーツァルトの『魔笛』が描きだしているように、秘められた入信儀礼は数字をはじめさまざまな象徴をもちい、入信者にさまざまな「試練」を課すいわばオカルト的なものとなった。だがそれはいまなおユダヤ教のカバラやイスラームのスーフィズムに見られる秘儀と共通するものであり、突出した特異なものではまったくない。

十八世紀、宗教的寛容と啓蒙の時代、それは半ば公の組織となり、知識人や芸術家をはじめ多くのすぐれた人材が加入するものとなった。とりわけオーストリアや神聖ローマ帝国の版図では、ヨーゼフ二世の改革以来フリーメイソンは公認のものとなり、多くのロッジ（支部）を中心に、読書会などの教育・啓蒙活動が行われた。それらを主導するひとびとがイルミナティ（照明者たち）とよばれ、また当時の啓蒙主義《イリュミナシオン》が理性の光によって蒙昧の闇を照明するというモットーを掲げたがため、当時のフリーメイソンの思想はしばしば啓蒙思想と混同されるが、それはデカルト的二元論に立つ啓蒙思想主流とはまったく異なるものである。

だが現実の政治運動としてはその両者は合流し、フランス革命やアメリカ独立革命は、啓蒙思想信奉者たちとともに、多くのフリーメイソンが主導している。そもそも「自由・

平等・友愛」の革命のモットーそのものが、フリーメイソンの三つのイデアの直接的影響を物語っているし、現在も流通している合衆国の一ドル札の裏面には、いまなおフリーメイソンの象徴記号のひとつであるピラミッドと宇宙の眼が印刷されている。

ゲーテやモーツァルトがフリーメイソンであったことは明らかだが、ベートーヴェンが入信者であったという事実はない。だが彼はボン時代からブロイニング家などイルミナティの家庭に出入りしていたし、その読書会にも参加していた。そのころから作曲しようと考えていた「歓喜の歌」は、フリーメイソンであったシラーが、メイソンの思想を讃えるためにロッジの依頼で書いたものである。それが最晩年の大作『第九交響曲』の終楽章に使われたのは、メッテルニヒ体制の抑圧化にあった暗い時代に、ゆがめられ、血まみれとなった現実のフランス革命ではなく、もういちど革命の本来のイデアを喚起し、人類の未来を指し示そうとした彼の意図をあますところなく明らかにしている。

先駆者スピノザ

デカルトから大きな影響を受けながらもデカルト的二元論に対抗し、この一元論の哲学と思想を展開したのが、十七世紀の先駆者スピノザである。しかし彼の哲学と思想は、いまもなお誤解と偏見のなかにあるといわなくてはならない。

すでに生前から彼は誤解と偏見に包まれていた。正統派ユダヤ教からは無神論者として破門され、同時代からは危険思想として扱われ、高い評価を受けた後世でも、「汎神論者」とか「神に酔えるひと」（ノヴァーリス）といった正鵠を射ていない札を貼られることとなった。

その原因は、彼がユダヤ教神秘主義《カバラ》を通じてその根底においた認識が、ヒンドゥーのヴェーダーンタ哲学にも共通する絶対的一元論であることに由来している。中世末期からルネッサンスにいたるアリストテレス的二元論、さらには近代のデカルト的二元論の思考形態に慣れたものにとっては、それはあまりにも異質であった。

たしかに彼は「神」という用語をもちいる。だがユダヤ・キリスト教正統派の神の概念から、これほどかけはなれた用語はない。なぜなら彼の主著『エティカ（倫理学）』を読みすすめれば、神はすなわち《実体《スブスタンシア》》であり、全宇宙・全自然をあまねく満たしているなにものか、「人間を愛しもしなければ憎みもしない」なにものかであることが判明するからである。あえて神という用語を登場させたのは、ユダヤ教正統派から「無神論者」として破門された苦い経験に由来しているのかもしれない。

亡命者アインシュタインは、アメリカのある新聞のインタヴューで「神を信じていますか？」と聴かれ、「スピノザの神なら信じています」と答えたが、戦前のＷＡＳＰ（白人アングロサクソン・プロテスタント）アメリカの文化をよく知り、また同じユダヤ人としてスピノザ哲学をよく知っていた彼は、神の用語で無神論者と非難されるのを回避し、同時に自己の思想の根底にあるユダヤ教神秘主義への共感とヒンドゥー的一元論を暗示することでたくみにスピノザの故事に倣ったのだ。

いずれにせよスピノザによれば、全世界は充満する実体と、その属性と延長としての万物から成りたっているという。人間は世界を認識し思考するが、それは神または宇宙の思考の属性としての現れにほかならず、そのことを自覚しないかぎり、真の認識にはいたらない。自己の身体もこの神の属性としての思考の延長にほかならず、したがって身体もこの思考に還元される。人間の身体にとって思考は自己の観念であり、思考にとって身体は、この観念の観念、いわば反映であり、両者は絶対的に不可分である。

ここにはシャンカラやラーマーヌジャの不二一元論《アドヴァイタ》とほとんど同じ哲学がある。彼らにとって、宇宙の思考あるいは原理といっていい「ブラフマン」は、個々の人間の思考または魂としての「アートマン」と絶対的に不可分である。身体はこの不可分の思考の延長にほかならず、もしこの両者の不可分性が理解できなければ、身体をはじめすべての現象世界はたんなる幻影《マーヤー》と化してしまう。だが多くの人間は、その不可分性を理解できず、幻影の世界のなかで欲望や快楽の渦に飲み込まれ、自己のアートマンさえ見失う。すべからくブラフマンとアートマンの一体性を取り戻す修行によってこれらの迷妄を克服し、解脱(モクシャまたはムクティ)にいたらなくてはならない。

ハイデルベルク大学の教授就任依頼さえ断り、貧しいレンズ磨きで生計を立て、ひたすら思索にふけったスピノザは、まさにこのヒンドゥー哲学の実践者でさえあるだろう。『エティカ』をさらに読みすすめれば、自己が神または実体の属性であることを自覚し、認識することが、外界の刺激によって生ずる受動的な感情を抑制し、真の認識を求める能動的感情を触発し、自己にとっての善が他者にとっての善になるような、自己と実体との一体化を実現させるのだという。

さらに自己と実体との一体化は、実体の思考のたんなる延長でしかなかった自己の思考を解き放ち、人間に至高の自由と歓喜の境地をあたえるとする。これを解脱といわずしてなんというべきであろう。

先駆者の先駆者

デカルト的二元論は、中世末期以来のアリストテレス的、トマス的二元論の延長であり、その近代版であるが、それに反逆したスピノザ同様、すでに中世・ルネッサンスを通じてカトリック正統派の二元論に反対した先駆者たちも多くいた。

たとえばすでに述べたアッシジのフランチェスコである。彼は神学的教義を述べたわけではまったくなかったが、その信仰や言説や行動は、イスラーム正統派のアリストテレス主義とはまったくかけはなれたルーミーのスーフィズムに通ずる、神と宇宙と自然との一体論ともいうべき絶対的一元論であった。彼の有名な『太陽讃歌』が、その神髄を伝えている——

神よ　おんみの造られたすべてのもののゆえに、ほめ讃えられよ
そしてとりわけわれらの兄弟　太陽のゆえに。
太陽は昼の明るさをわれらにあたえ　そしておんみは

太陽によってわれらを照らす。

…………

神よ　われらの姉妹である月と星たちのゆえに、ほめ讃えられよ
あの姉妹らを　おんみは　きらめく貴く美しいものたちとして
天に造られた。

…………

神よ　われらの姉妹にして母なる大地のゆえに、ほめ讃えられよ
大地はわれらをはぐくみ　われらを支え
果実　花々　樹々を限りなくわれらにあたえる。

…………

（片山敏彦訳を自由にアレンジ）

またたとえば十五世紀のニコラウス・クザーヌスは、アリストテレス、トマス的スコラ学の二元論に反対し、対立するすべてのものは神または「絶対的一性」――いいかえればスピノザの実体――に収束する、あるいは神または万物そのものである最大者は、一個の人間でもあるそれぞれの最小者と合一する――すなわちブラフマンとアートマンとの合一

——という絶対的一元論を唱え、スピノザの先駆者となり、スピノザ自身も影響を受けている。対立物の一致は、当時まだその用語さえなかった数学的対称《シンメトリー》概念に導かれたものであるし、その天文理論は、諸惑星の運動の相対性という観点から、コペルニクスの地動説を予告してさえいる（コペルニクスは彼の影響を受けていると伝えられている）。

さらに対立物の合一と絶対的一性への収束の哲学は、『アル・クルアーン（コーラン）の精査』といった著書を通じて、キリスト教とイスラームの宗教的統合の可能性に言及するにいたっている。

ウェーバーのいう形式合理性の追求によって最終的にニヒリズムの薄明に陥った西欧二元論の伝統のなかで、暁天に輝く星々のようなこれらのひとびとは、世界的な普遍性をもつ偉大な思想家や芸術家であった。とりわけ十八世紀から十九世紀にかけての啓蒙的合理主義の全盛期に、その滔々とした主流に抗して出現したひとびとは、しかしスピノザのように黙殺や迫害を受け、あるいは名声をえたとしても誤解という後光に包まれることになった。

たとえばルソーやゲーテである。

偉大な孤独者ルソー

名声と同時に迫害を手にすることになった晩年は別として、スピノザのように、楽譜の写譜で細々と生計を立てていたジャン＝ジャック・ルソーは、全ヨーロッパ的影響をもった百科全書派の啓蒙思想の圧倒的な潮流のなかで、それらに抗する偉大な孤独の島であった。

たしかに彼の『社会契約論』は、死後フランス革命の聖典となった。人間の生まれながらの自由、その自由にもとづく万人相互の社会契約による国家、身分や経済的格差を超えて万人が平等である社会といったプラトン的なユートピアを提示し、現在の社会がいかにその理想にほど遠いかを鋭く分析したこの書物は、いまなお実現されていないこの理想にむけて、ひとびとを駆りたてる力をもっていた。

そしてそのような理想社会を実現する唯一の方法として彼は、イギリス流の《多数意志》《ヴォロンテ・ドゥ・トゥース》にもとづく民主主義ではなく、《一般意志》《ヴォロンテ・ジェネラール》にもとづく民主主義を提唱した。だがこれほど徹底的に誤解された用語はないといっていい。

投票による多数決ではなく、満場一致による民主主義という一般意志の皮相な概念的理解は、のちにマルクス＝レーニン主義によって、党の代議員全員の盛大な拍手による議案の可決という、このうえもなく歪曲された光景を生みだすにいたった。

だがこの難解とされる概念を理解するには、先行する彼の『人間不平等起源論』、すなわちレヴィ＝ストロースをしてルソーを人類学の始祖と呼ばしめた書物を精読しなくてはならない。

そこにあるルソーのヴィジョンの原点は、同じ人間の《自然状態》という用語に、「ヒトはヒトにとって狼である」とするホッブズと正反対の意味をあたえたところにある。すなわちルソーにとって自然状態とは、人間が野生動物のように生まれながらの自由を享受し、それにもとづいて平等で友愛に満ちた社会をつくっていた過去の時代を指す。この昔のユートピアを、いわゆる文明がさまざまな誤った制度を造りだすことによって疎外し、現在の堕落と頽廃の時代をもたらしたというのである。

しかもその自然状態にあっては、人間の生まれながらの《不平等》は存在していたが、身分や格差や差別など《社会的不平等》は存在していなかったという。生まれながらの不平等とは、身体や性格の差異、性や年齢による差異、能力の異なった現れなど、生物学的な差異または不平等である。文明は私有制や富の偏在、それらを助長する諸制度によって身分や種族の違いによる差別、あるいは経済的格差や階層・階級による差別など社会的不平等をつくりだし、生物学的不平等をもこうした社会的不平等に組みこんでしまった。すべからく社会的不平等を撤廃し、人間の生物学的不平等がそれぞれの個性となって開花するような《新しい自然状態》の社会を築かなくてはならない、とする。

だが彼にとってこのユートピアは、たんなる観念の所産ではない。当時アフリカをはじめ北米西海岸やミシシッピ河沿岸、あるいは南米に植民地を開拓していたフランスには、宣教師や旅行者あるいは交易業者などを通じて、これらの地域の「野蛮人」つまり先住諸部族についての多くの情報が寄せられ、旅行記が書かれていた。そこでは、彼らが野蛮人であるどころか、礼儀正しく道徳的で自由な《高貴な野蛮人《ル・ノーブル・ソヴァージュ》》にほかならないことが語られていた。それらからルソーは、人間本来の自然状態について多くのことを学び、自己のヴィジョンの裏づけをえていたのだ。とりわけフランス人がイロコア(イロクォイ)やシウー(スー)などと命名したアメリカ・インディアン諸部族の政治・社会体制に、この一般意志の民主主義のイメージがある。

たとえばイロクォイ五部族同盟(のち六部族)では、同盟全体の事案を討議する大評議会、各部族の部族評議会が彼らの民主主義、いわゆるロングハウス・デモクラシーの根幹をかたちづくる。部族評議会は氏族首長と宗教結社首長および戦闘首長から構成され、大評議会は各部族評議会から選ばれた男たちが参加する。そこで討議された議題が満場一致で決定できない場合、それは各部族評議会、さらには各氏族の会合に持ち帰られ、徹底的に討議され、その結果がまた評議会に上げられ、討議される。

そのうえアメリカ・インディアンの社会は母系トーテム氏族制であるから、婿入りした男たちは、自己の所属する母系氏族の女たちの意見に逆らうことはできない。したがって最終的な満場一致の決定には、社会の全成員の意志、とりわけ母系氏族の女たちの意志がかかわり、主導しているといっていい。

つまり多数決ではなく、一般意志による民主主義とは、社会の全成員のこうした徹底的な討議とその意志の循環にもとづくロングハウス・デモクラシーをモデルとするのだ。人類学的な視点のないものにとっては難解かもしれないが、一般意志という用語は、このようにきわめて明快で単純な概念にほかならない。

だが「投票日の当日だけ民衆は主権者であるが、それ以外では奴隷である」とルソーに批判された多数決にもとづく近代民主主義しか知らない知識人や多くのひとびとにとって、一般意志の民主主義は、いまだに誤解と偏見の霧のなかにただよう概念でしかない。したがってそれによってもたらされる新しい自然状態の社会など、いまなお「孤独な散歩者」の果てしない夢想としか思われていない。

「自然に帰れ」

彼のもっともラディカルなこれらの概念や思想を理解するものはほとんどいなかったにもかかわらず、禁書となった『社会契約論』で述べられた、人間の自由にもとづく平等で友愛に満ちた社会への希求、身分や階級やそうした差別をもたらす私有制などの否定は、すでに述べたようにフランス革命を導く理念となった。

他方革命以前にも、ルソーが直接述べたことばではないにもかかわらず、自然状態への回帰といった主張の通俗化ともいうべき「自然に帰れ」のモットーは、十七・八世紀を支配した「幾何学の精神」（デカルトを批判したパスカルのことば）がもたらしたいわば合理的なものの圧制から解放されたいという広範囲な欲求が、貴族階級をも巻き込んで全西欧に大きくひろがっていった。

ヴェルサイユに代表される幾何学的なフランス庭園は飽きられ、鬱蒼とした森や不定形な池などを配置したイギリス庭園が好まれ、マリー・アントワネットは農家や家畜小屋までを模した小トリアノン庭園を造らせ、好んで野の風景を鑑賞した。

それはロマン主義の台頭にほかならない。一時代を制覇した幾何学の精神に対するパスカルのいう「繊細の精神」の復讐といってもいいかもしれない。ルソーの影響だけではなく、すでに述べたように、フリーメイソンを通じて中近東やアジアへの関心は持続しつづけていたし、かつてウィーンの城門にまで軍を進めたが、当時は平和共存していたオスマン・トルコの影響力も存在していた。

たしかにそれは一方では異国趣味でもあった。美女たちのつどうトルコ後宮の風俗は画家たちの好む題材となり、絢爛とした衣裳と抜き身の彎月刀の軍勢をしたがえるトルコ軍楽隊の奏でる行進曲は、モーツァルトやベートーヴェンだけではなく、多くの音楽家を魅了した。だがそれだけではない。モーツァルトの『後宮からの逃走』やレッシングの『賢者ナータン』をみれば、宗教的寛容にみちたイスラーム文明への共感や感銘といった思想のレベルにまで、その影響がひろがっていたことがわかる。

イスラーム天文学や数学に巨大な足跡を残した十一世紀の詩人オマル・ハイヤームの

『ルバイヤート（四行詩集）』の英訳は、五感に触れる事物のみずみずしい描写が形而上学や宇宙論とない混ぜられているその深い表現によって、イギリス・ロマン主義の台頭をうながすにいたった。

それに加えてインドである。たしかに西欧植民地主義はアフリカやアメリカ大陸あるいはアジアのかつて豊かだった国々を収奪し、疲弊させ、民衆に多くの苦痛をあじわわせてきた。しかし他方、心ある知識人や学者たちは、すでにルソーについて述べたように、それら異文化の内面の宝庫に触れ、讃嘆や畏敬の念をもって自国への紹介をはじめていた。イギリスではインドであった。

『リグ・ヴェーダ』などヴェーダ類や、『バガヴァッド・ギーター』からカーリダーサの戯曲『シャクンタラー姫』にいたるまで英訳が出版され、次々とドイツ語訳などが現れた。イギリス・ロマン主義だけではなく、ドイツではヘルダー、シラー、ゲーテなどが深く共感し、ベートーヴェンもそれら文献からの引用を『日記』に記し、ゲーテとの共通の友人である東洋学者ヨーゼフ・フォン・ハンマーの手紙には、彼がインド風の合唱曲を書きたいといっていると述べられている。

ショーペンハウアーはヒンドゥー哲学に心を奪われ、主著『意志と表象としての世界』

を表すにいたった。われわれの眼や心に映じている表象の世界は、確かに科学によって分析可能であり、日常の経験を織りなしている。だがそれは表面の皮相な世界にすぎない。われわれ自身の存在の奥深くには、宇宙を動かすなにものかと合一する真のリアリティがある。それは人間の意図や意志とはかかわりない宇宙の《盲目の意志》が生みだすものであり、それを認識することでのみ表象の世界を超えた真理を手にすることができるのだ、と。

それはカントの哲学をいわばモノ自体の側面から照射する哲学、いいかえればカント哲学を逆転させた認識論であるとともに、個我の本質であるアートマンは、宇宙の本質であるブラフマンと究極において一体であり、修行を通じてそれを認識できれば、現世のマーヤー（迷妄）とそのサンサーラ（輪廻）を離脱することができる、とするブラフマニズムの西欧版でもある。

ルソー同様、ヒンドゥー哲学を知らない多くの近代主義者から極端なペシミズム（厭世主義）と誤解され、非難されたショーペンハウアーは、ヘーゲル主義全盛時代にまったく理解されず知的に葬られたが、それは西欧近代の地下水として、ベルクソンにいたるまで、あるいはごく近年にいたるまで、脈々として伝えられてきた一元論的な「生命哲学」の源流のひとつにほかならない。

ゲーテ

詩人であり作家であり同時に自然科学者であったゲーテは、とくに哲学や思想についての本を書いたわけではない。だがそれらの膨大な業績のなかから、近代の枠組みを大きく超えようとする意志と、それがめざす新しい認識論的展望がひしひしと伝わってくる。それはなによりも世界を一元論的で統一的な視野と枠組みで理解し、その根底的な構造を見極めようとする貪欲なまでもの意欲である。

たとえば二十年をかけて書いたその膨大な『色彩論』である。そこでは色彩を光学的に分析し、光の周波数の問題にのみ還元したニュートンと、その近代科学の実証主義がきびしく批判されている。それに代わって彼は、色彩が、知覚や心理をも含めた人間のいわゆる主観性と、自然のもついわゆる客観性との相互関係によって展開する現象であるのみならず、自然そのものさえ時空の変遷や気象条件によっても変化して色彩を変えるという、数学的にいえば「境界条件」や「特異点」の問題（ゲーテがそれらの用語を使っているわけではないが）がそこにあることを明らかにしている。

すなわち混沌やあいまいさといった現象の分析を可能にした、ごく近年のカオス論の登場によって脚光を浴びるにいたった数学的諸概念ではじめて定義できるような、画期的な自然科学的認識論さえもが『色彩論』の文脈には含まれているのだ。

それはまた、人間の主観性とモノ自体の世界とをなんとか橋渡しし、世界の全体像を構築しようとしたカントの『判断力批判』の努力の継承でもあるし、さらにさかのぼればゲーテは、スピノザの宇宙に充満する実体を、色彩の問題を通じて明らかにしようとしたともいえるだろう。

カントの『判断力批判』だけではなく、スピノザに対するゲーテの傾倒はひろく知られている。『若きヴェルテルの悩み』以来のルソーの影響はいうにおよばず、こよなく自然を愛したゲーテは、そこにスピノザのいう神または宇宙の実体の遍在をみいだした。色彩論だけではなく、彼の植物・動物形態学や地質学への深い関心と研究は、時間とともに変転し、あるいは変態していく自然現象や事物そのものが実体の顕現であるとして、それらすべてにいかに統合的な法則が働いているかを探求するものであった。のちにアインシュタインが物理的世界すべての説明が可能な統一理論を提唱したように、ゲーテは感覚的にとらえられる自然すべてを見つめながら、それらを内在的に動かしている不可視のリアリティを探ろうとしたのだ。

ただ統一理論によって量子力学を批判しようとしたアインシュタインが、コペンハーゲン解釈の信奉者たちによって嘲弄されたように、ゲーテもニュートン力学やその実証主義の信奉者たちによって、ディレッタントの研究あるいはせいぜい時代遅れの神秘主義的自然史学者として、批判されるか黙殺されるにいたった。

ゲーテの「統合理論」は、それ自体として提示されたわけでも完成されたわけでもない。だが有名にして難解な『ファウスト第二部』の終曲の詩句——

亡びゆくもの
すべて　比喩にすぎず、
及ばざるもの
ここに　実現し、
言い表しがたきもの
ここに　成就せり。
永遠に女性的なるもの

われらを　彼方へ　曳き行かん。

に、その考えが凝集されている。すなわちこの目にみえる世界のすべては、不可視のリアリティにとっては比喩にすぎない。その不可視のリアリティにおいてのみ、この世で到達できなかったものが実現し、表現できなかったものが現出する。そこでは《永遠に女性的なもの》が、われわれを実体の大洋の沐浴へと導く、と。

永遠に女性的なものが古来議論の的となっていて、最終章全体の文脈から聖母マリアとする意見もあるが、皮相な解釈にすぎない。アメリカ・インディアンのプエブロ諸族が、スペイン統治によって強制的にカトリックに改宗させられたのち、聖母マリアを母なる大地の神と同一視し、信仰の中心としたように、それは不可視の実体をはらむ自然、ゲーテがこよなく愛した自然そのものにほかならない。それが女性的であるのは、身体性に立脚する個我《アートマン》を宇宙我《ブラフマン》と合体させる不可視の子宮だからである。

ベートーヴェン

ゲーテはともかく、音楽家であるベートーヴェンをここに登場させるのは、奇異の感をあたえるかもしれない。だが彼はまぎれもなく音楽上のゲーテであり、その諸作品は、音を通じて近代の枠組みを超える世界像を追求し、表現しようとしたものであるということができる。

ゲーテ同様彼もこよなく自然を愛していた。夏、ウィーン郊外に滞在しているとき、「太陽が私を呼んでいる」と未明から散歩に出かけるのをつねとしていた。ルソーやゲーテの信奉者であるだけではなく、カントの『一般自然史と天文理論』の愛読者として彼は、天体をはじめ自然現象には深い関心を抱いていた。ドイツでミノリーテンと呼ばれるフランチェスコ派の教会で受洗したのは、家系がそれに属していたという偶然にすぎないが、彼はその偶然を大切にしていたと思われる。

一八〇七年にエステルハージー侯爵に依頼されて作曲した『ミサ曲ハ長調』は、侯爵夫人の命名日に演奏されたが、侯爵にはあまり評価されなかった。彼はこの曲に自信をもっていて再度の演奏の機会をうかがっていたが、一八一一年、わざわざシレジアの町トロッパウ（現チェコ領オパヴァ）に寄り、そこのフランチェスコ派修道院の教会で自主的な企画として、みずから指揮して盛大な演奏会を行っている。この事実はベートーヴェンの伝記作者たちにはほとんど知られていないが——青木やよひがその事実と当時の記録を発見している——、他派の大聖堂が近くにあるにもかかわらず、フランチェスコ派修道院を選んだのは、たんに自己の宗派だからというだけではなく、アッシジのフランチェスコへの尊崇の念からとしか思えない。

そして『田園交響曲』である。バロック時代、ヴィヴァルディをはじめとする多くの作曲家が、風景画家のように自然の情景の音楽的描写を行ってきた。だがそれらとベートーヴェンの『田園』とが異なっているのは、嵐の場面などに若干の描写がみられるとしても、彼はそこで自然の情景の描写をこころみたのでも、また彼の影響を受けたロマン派の音楽家たちが行ったように、そこに自己の主観的感情を投影させたのでもなかった点にある。そうではなくベートーヴェンは、刻々と移り変わる自然自体が、それぞれの場面でみずから喚起するさまざまな感情を、音で表現しようとしたのだ。形態はまったく違うが、それはむしろインド古典音楽がめざす表現にほかならない。

インド古典音楽は、ラーガと呼ばれるある種の旋律形態にもとづく即興演奏である。乾季のラーガは、朝から夜にいたる時間にしたがって演奏できる種類が決められている。朝でも、未明のラーガと夜明け後のラーガでは、そこに《太陽の音》が昇るかどうかで異なってくる。夜のラーガでも、《月の音》が出現する夕べのラーガと、月が没した夜半のラーガ、あるいはそれら天体や自然の情景の音にまったくかかわりのない恐ろしい神々の時間である深夜の五音音階的なラーガなど、すべてのラーガには宇宙や大自然のもつ感情や力が秘められている。音楽家の使命は刻々と変化する時間のなかで、いかにそれらを解き放つことができるかである。そこに感情や情念がひびくとしても、それは人間の感情でもなく、まして主観的情念ではありえない。

『田園交響曲』で鳴りひびいているのは、作曲家個人の感情を超えた、それらとまったく同じ宇宙または大自然の力であり感情なのだ。

確かに彼の音楽技法は、平均律にもとづく近代の技法である。だが彼は、つねにその限界を乗りこえて、頭のなかで鳴りひびく新しい表現世界のために、新しい技法を執拗なまでも開拓しようとする。とりわけ後期の諸作品は、いわゆる遠隔調への思いがけない転調や錯綜した変化音、あるいはソナタや変奏曲といった形式概念そのものの変換など、目をみはる技法的革新にみちみちている。それは革新のための革新ではなく、狭い近代の人間世界を超えようという意図にほかならない。

その集大成が『第九交響曲』であるだろう。とりわけその終曲は、まさに「われらの上なる星空と、われらの内なる道徳律、カント！」の、音楽による全面的な展開である。シンバルやトライアングルや大太鼓あるいはファゴットやコントラファゴットの最低音が踏み鳴らす母なる大地の音――ベートーヴェンは「アラ・マルチア（行進曲風）」のこの場面をスケッチブックでは「トルコ音楽」と指定している――から、弦と木管の最高音のトレモロが支える《星々の円蓋のうえに探せ、創造主は必ずやそこに住む》の高音のピアニッシモの合唱の示す父なる天の音にいたるまで、宇宙に張り巡らされた音の空間のなかで、人間世界を律する友愛と歓喜の道徳律がうたわれる。

ロマン主義とはなんであったか

音楽ではベートーヴェンの圧倒的な影響下で、ロマン主義のすぐれた音楽家たちが続々と登場した。

たしかにロマン主義の一側面では、革命と動乱にふりまわされた時代の反動として、内面的な沈潜や宗教性に閉じこもり、革命への幻滅からメッテルニヒ体制やナショナリズムに加担する知識人や芸術家を生みだした。内面的沈潜の代表的な音楽家がシューベルトであったが、『冬の旅』に代表されるあの暗さは、時代そのものの暗さにほかならない。

だが多くの芸術家は、反動政治に抗して新しい革命の理念をさぐり、その表現様式をまさぐっていた。一八三〇年七月革命の予告というべきベルリオーズの『幻想交響曲』や、『第九』のシェークスピア版である劇的交響曲『ロメオとジュリエット』などがそのもっとも華やかなあらわれであり、シューマンやショパン、あるいはリストなどがそれにつづく。ベルリオーズやリストは実際にもユートピア社会主義であるサン＝シモン主義者であり、秘密警察は彼らの手紙を押収したり、尾行記録を残したりしている。とりわけハンガリー独立運動に深くかかわっていたリストは、危険人物と目されていた。

イタリアではマッツィーニが主導する独立革命にヴェルディが深くかかわり、一八四八年のローマ占拠の「百日天下」のとき、革命を鼓舞するオペラ『レニャーノの戦い』は大衆の熱狂を呼び起こし、一夜にしてローマの街じゅうにＶＥＲＤＩの名が落書きされるにいたった。それはヴェルディの名であるとともに、「イタリア国王ヴィットリオ・エマヌエーレ」（ヴィットリオ・エマヌエーレ・レ・ディターリア）の頭文字であり、イタリア独立とその元首待望の熱狂的表現にほかならなかった。

ヴェルディが加わったマッツィーニの運動は「若き［青年］イタリア」とよばれていたが、当時ヨーロッパ各地に同じ名称をもつ運動が拡大していた。ベルリオーズは「若きフランス」の党員であったし、詩人ハイネは「若きドイツ」に属していた。これら国際的運動には政治家や知識人だけではなく、多くの革命的ロマン主義芸術家たちが参加していたのだ。

ルソーが掲げていたユートピアへの憧れを継承するロマン主義のこの熱気は、一八四八年の二月革命までは継続する。だがその挫折、さらにハンガリーやイタリア独立革命をはじめとする「諸民族の春」の挫折は、時代の雰囲気を一変させる。

それを象徴するのがワーグナーである。ロシアの無政府主義的社会主義者バクーニンとその弟子ともいえるフランスのプルードンの強い影響をうけたワーグナーは、音楽的には著作『ベートーヴェン詣で』に示されるように、ベートーヴェンの圧倒的影響下に革命的ロマン主義者として出発している。中世伝説に題材をとった『さまよえるオランダ人』『タンホイザー』『ローエングリン』などで典型的なロマン的オペラを書いていたが、二月革命の継続である一八四九年のドレスデン蜂起に参加し、プロイセン軍に敗北して亡命する。

亡命先スイスの庇護者の妻との悲劇的恋愛、渦中で読んだショーペンハウアーの『意志と表象としての世界』によって、時代とともに彼の思想も一変する。そのできごとは彼の最高傑作である楽劇『トリスタンとイゾルデ』を生むが、同じ中世伝説に題材をとりながらも、その音楽と思想はロマン的オペラとはまったく異なってしまう。すなわちロマン的オペラはすべて、超自然的な力が最終的に決着をつけるにしても、人間の愛と喪失という主観的情念が主題であるのに対して、ここでは人間にとっては偶然の不条理が人間の運命を決定するという不条理性そのものが主題となる。つまり毒薬でともに死のうと決意した宿敵である二人が、動転した侍女が差し替えた媚薬で宿命的恋人となるという、表象の世界に生きる人間の意志に反しても、それを超えて支配する盲目の意志が主題なのだ。

ショーペンハウアーのブラフマニズムの世界が、宿命論に読み替えられる。ワーグナーが読み替えた盲目の意志は、音楽をも支配する。イ短調かホ長調かの区別さえもできない和声の霧に包まれながら、ただ上にむかう愛または憧れの力と、下に向かう死または宿命の力の旋律的葛藤のみが重々しくひびく前奏曲冒頭の音楽は、結局全劇を支配する指導動機としてこの盲目の意志の象徴となる。

革命的ロマン主義を挫折させたこの盲目の意志とは、結局産業革命以後の全近代を支配するにいたった、すべての領域でのまさに盲目的な合理性追求のメカニズムそのものにほかならない。

「新大陸」の狼火

十九世紀のはじめ、新大陸と呼ばれた北米はまだ産業革命からはるかに隔たり、したがって合理性追求のメカニズムからも遠かった。そこにある種の牧歌的なロマン主義が生まれ育ったのも当然である。

たとえば先駆者というべきワシントン・アーヴィングである。その洒脱で軽妙ではあるが人間性の深奥をうがつその文体で、彼はイギリスではじめてアメリカ出身の文学者として認められるが、その初期の代表作『スケッチブック』のなかにすでに、異文化に対する深い理解と畏敬の念が表現されている。「[アメリカ・]インディアン性の特質」と題されたエッセーである。

当時の知識としては無理からぬ誤り――たとえば「父系制」、アメリカ・インディアンの社会はほとんど母系制である——もあるが、これほど深く《自由にして高貴な野蛮人》の本質を、当時残っていた北米の雄大な大自然との関係のなかで把握した文章をほかに知らない。彼がとくに惹かれたのは、いわゆる法律も宗教ももたない彼らのきわめて道徳的で適切な行動や行為が、内面に備わっている無意識のルールによって律され、人間の尊厳を表現していることであった。われわれの用語でいえば、プラティークのレベルに彼らのいわば理性があると考えたのだ。

この自由にして高貴な野蛮人に対する白人植民者の無知や誤解、あるいは暴力行為や征服を彼はきびしく告発しているが、同時にその悲劇的な状況のなかでも戦士としての勇気や威厳を失わない彼らに最大限の称賛を贈っている。

またアーヴィングはスペイン公使館に職をえて休暇中、当時仏西戦争直後の荒廃しきったアルハンブラ宮殿を訪れて滞在し、繊細きわまりないイスラーム建築やその文明にすっかり魅せられ、史実と伝説を織り交ぜながら、彼の最高傑作といわれる『アルハンブラ物語』を書くにいたった。コルドバに首都を置いた最盛期のウマイヤー王朝や、イザベラの軍門に降ったナスル王朝のグラナダ最後の日に思いをはせ、『千夜一夜物語』にも匹敵する伝説や歴史の多彩な物語のなかで、彼はイスラーム文明の本質と栄光を強く印象づける。

その挙句彼は、ついに予言者ムハンマドの伝記を書きあげてしまう(原題『モハメット』)。デカルト的二元論や啓蒙的合理主義に疑いをいだき、異文化や異文明を積極的に理解して近代の限界を超えようとするこうした動きは、エマーソンやソロー、あるいは作家ホーソーンや詩人ホイットマンたちの超越主義《トランセンデンタリズム》にいたって頂点に達する。

超越主義の用語はカントに由来するが、彼らはプラトンとともにカントを、日常生活の経験を超えた世界、つまり超越的世界に真のリアイリティがあるとする一元論哲学の主唱者とみなす。とりわけエマーソンは、この認識をさらに拡大し、ヒンドゥー哲学をもそこに合流させる。エマーソンにかぎらず『バガヴァッド・ギーター』は、彼ら超越主義者たちにとってひとつの聖典であった。

なぜならそこでは、この世は神々が造りだしたマーヤー(迷妄または幻影)の世界であり、このマーヤーの帳《とばり》を破り、この世を超えた真のリアリティに到達するには、たんなる観照や認識ではなく、自己の心身を統合する直観を研ぎ澄ましてこの世の行動や行為に参加するしかない、と説かれているからである。

この世に参加しながら直観を研ぎ澄まし、真のリアリティをさぐる行為のキーワードは、彼らにとっては「自然」である。エマーソンは『自然』と題する本を書き、それは超越主義の綱領とみなされた。またソローの代表作『ウォールデン、森の生活』は、当時まだ自然がゆたかであったニューイングランドのコンコードで、乱開発からウォールデン湖を守るべく湖の北岸に土地を購入し、小屋を建て、そこに住まった一年間の自然と生活のきわめて繊細で陰影に富んだ記録である。そのなかで彼は書く――

《朝、私はみずからの知性を、『バガヴァッド・ギーター』の雄大な宇宙発生論哲学のなかで沐浴させる。この書物が書かれた神々の時代はすでにすぎ去ってしまった。この本に比べれば、現代世界も現代文学もまことにちっぽけでつまらないものに思われる。ここに語られた哲学は、ひょっとすると前世に属するものではないかと疑いたくなるほど、その荘厳さはわれわれの概念からはほど遠いのである。私は『ギーター』を下に置き、わが井戸まで水を汲みに行く。すると見よ！　バラモン――ブラフマーとヴィシュヌとインドラの僧――に仕える僕《しもべ》とばったり出会う。僧はいまもガンジス河畔の寺院に座ってヴェーダを読んでいるか、あるいはパンの皮と水差しを手に、一本の木の根元で暮らしているのである。私は、主人のために水を汲みにきたその僕と顔をあわせ、ふたりのバケツは、いわばおなじ井戸のなかでこすれあう。清らかなウォールデンの水がガンジス川の聖なる水とまじりあうのだ》（飯田実訳、岩波文庫下巻、二二八頁）。

ここに隠されたリアリティが、その姿をあらわにする一瞬がある。

このように、北米ではようやくその圧制者の影がみえはじめたにすぎなかったが、すでに産業革命が頂点に達し、そのエネルギー源である石炭の大規模な鉱山開発や露天掘りで美しい自然の破壊や荒廃がはじまり、工業都市での濛々とした煙害、それによる結核の蔓延、鉱山・工業労働者の悲惨な生活など恐るべき現実に直面していたイギリスでは、コールリッジやワーズワースなどロマン主義の代表的な詩人たちが、反公害運動や労働者救済のユートピア社会主義運動に参加し、合理性追求の圧制に抵抗していた。

アメリカの超越主義者たちを含め彼らにとってはきたるべき圧制とは、フランス革命が葬り去ろうとしたかつての絶対主義や七月革命が解体しようとしたメッテルニヒ流の反動政治であるよりは、産業革命がもたらした経済合理性の恐るべき圧制、啓蒙的理性あるいは近代理性支配の頂点ともいうべき経済至上主義にほかならなかった。

だがロマン主義者たちのこの予見または予言は、二十世紀にまさに現実のものとなる。

二十世紀の「文化革命」

十九世紀末イギリスの過酷な植民地支配に抗して興ったインドの覚醒ともいうべきインド・ルネッサンスの欧米への波及、具体的にはシュリ・ラーマクリシュナの弟子ヴィヴェーカーナンダの渡米によるその大きな影響が、十九世紀後半の経済合理性の支配とそれがもたらす資本主義的唯物論の頽廃した知的雰囲気に、さわやかな風穴を開ける。

すでにその前にヘレナ・ブラヴァツキーが「神智協会《セオソフィカル・ソサエティ》」を設立し、ヒンドゥー哲学と仏教を総合する瞑想的な知の探求をはじめていたが、ヴィヴェーカーナンダの影響下にアニー・ベサントがそれを継承し、絶対的一元論の提唱によって民間にかなりの広がりをもつにいたる。

たしかに二度にわたる世界大戦や一九三〇年代の大恐慌は、経済的富の集積のためには手段を選ばない先進諸国の帝国主義を崩壊させることとなったが、その基調である経済合理性の追求は、むしろ生活の利便と快適を求める大衆の欲望にも押され、いっそうの進展をみせる。つまり戦争や暴力による資源や富の収奪という帝国主義的ニヒリズムに代わって、あくまで経済的手段で世界の資源や富を国内に蓄積し、成長をとげようとする経済的ニヒリズムが支配する。ほとんどの植民地は独立国家となったが、その多くは一次産品を安く輸出して二次産品を高く買わされるという、新植民地主義の対象となる。

だが社会主義的唯物論も、それに代わるオルタナティヴにはならない。なぜならそれも、啓蒙的理性または近代理性を資本主義的唯物論と共有しているのであり、左翼的合理性追求を至上とする実験的で怪物的な諸国家を生みだすにすぎないからである。ソヴェト連邦崩壊の七〇年の歴史が、そのむなしさを教えている。

だが高度成長によって経済的繁栄をきわめた一九六〇年代末の先進諸国に、近代の知的で経済的なニヒリズムを批判し、近代文明に代わるオルタナティヴを追求する「文化革命」が起こったのは驚くべきこととといわなくてはならない。

たしかにそれは中国の文化大革命をひとつの契機としていた。文化大革命そのものは、毛沢東一派と劉少奇・鄧小平一派との激烈な政治権力闘争への若者たちの動員や利用にすぎなかったし、いわゆる武闘によって多くの犠牲者をだし、多くの文化財が破壊された恐るべき歴史的事件であったが、「造反有理」のモットーと純真な若者たちの熱気に溢れた映像は、世界の若者たちを刺激したのだ。とりわけ米ソの代理戦争ともいうべきヴェトナム戦争を遂行していたアメリカではそれは、反戦運動に端を発し、産軍学共同の先端兵器開発などを担っていた大学改革を訴えるステューデント・パワーとなって爆発した。

それとともに、地下水となって流れつづけていた超越主義の伝統が地表に噴出する。ヒッピー運動とも呼ばれた「文化革命」である。それはアメリカの伝統的なWASP（白人アングロサクソン・プロテスタント）文化の拒否、いいかえればそれが一つの頂点である近代の拒否、それに代わる自然への回帰である。

すでに第二次世界大戦後、アメリカに登場した戦後リベラリズムは、ゆるやかなWASP文化批判を行っていた。オセアニア文化を専門とする人類学者マーガレット・ミードは、『サモアの青春』や『男性と女性』などの著書で、性を抑圧し、処女性を重んじ、男性を優位におくプロテスタント文化を批判し、性の自由と性差別の撤廃を訴えた。ベンジャミン・スポック博士は、あまりにも幼児を厳しく躾けて委縮させる伝統的な育児に異議を唱え、開放的な幼児教育を説いた。政治学者や知識人たちは、自由と民主主義を提唱する合衆国政府が、反共イデオロギーから軍事独裁諸国家と同盟し、あるいは援助するその原理的・道徳的二重基準を厳しく告発した。

しかし近代理性を前提として現状を批判するこれら戦後リベラリズムは、ステューデント・パワーやヒッピーたちにとっては、WASPエスタブリッシュメントと同様批判の対象でしかなかった。なぜなら若者たちは、超越主義者たちと同様、近代文明やその思考体系そのものを批判し、超えようとしていたからである。

ここでもキーワードは「自然」である。内なる自然である身体性から大自然、さらには大自然にひそむ超自然にいたるまで、人工的なものいっさいを拒否して彼らは自然な存在であろうとする。髪の毛は伸びるがままにし、超自然の現象を味わうために愛用したマリファナなどの幻覚剤に触発された極彩色の衣裳をまとい、あるいはコミューンと称して自給自足で共同の「森の生活」を行い、性の解放を追求した。

ザ・ビートルズにはじまりハード・ロックにいたる音楽が彼らの共生――この場合はトゥゲザーネスであるが――意識をかきたて、黒人たちのソウル・ミュージックやラヴィ・シャンカルのインド古典音楽をも結集して、空前の規模のウッドストック音楽祭を実現するにいたった。

白人と同じ法的権利を主張する黒人市民権運動――もちろん過酷な人種差別が目にみえる形として存在していた合衆国南部にとってそれは歴史的意味をもっていた――だけでは満足せず、アフリカ系アメリカ人独自の文化やアイデンティティを主張するブラック・パワー、同じくＷＡＳＰより優れているとするアメリカ・インディアン固有の文化や先住民の権利を叫ぶレッド・パワーなどの台頭も、この文化革命を全体的に促進した。

超越主義が復権しただけではない。エマーソンやソローが探求したヒンドゥー哲学や思想がブームとなり、同じく絶対的一元論にもとづいて宇宙の《無》――スピノザのいう実体――が現象としての《有》としてあらわれる《道》《タオ》に万物は従わなくてはならないという自然哲学を説いた老荘思想が、タオイズムの名のもとに探求される。

それだけではない。南北アメリカ・インディアンの哲学や宇宙論が呼び求められる。ホピの長老たちの聞き書きを集めたフランク・ウォーターズの『ホピの書』がベストセラーになり、アリゾナ州のホピの村々は、殺到するヒッピーたちの対応に追われる。

ニヒリズムに抗して

日常性を超えたリアリティを求め、その先にユートピアをかいま見ようとした「文化革命」の熱気も、やがてすべての運動がそうであるように終わりを告げ、日常性が回帰する。それとともに、若者たちのプラトン主義をあざ笑うかのように、リアリズムが主導権を奪回する。

七〇年代後半からは、政治的新保守主義と経済的新自由主義とが手をたずさえて世界を制覇する。近代理性にもとづく自由と民主主義、開かれた自由な市場による経済、それらを担う普遍的人間性、といった価値を普遍的で絶対的なものとし、諸文明や諸文化をそこに溶融すべきとしたこの新しいイデオロギーは、先進諸国を席巻し、制覇したが、同時にそれによってニヒリズムの一層の深化をあらわにした。

貧富の格差の拡大とかつて国家を安定させてきた中産階級の没落、利潤と効率を至上とする激烈な経済競争にともなう資本や資源の争奪、規制緩和によって巨大化する金融資本とその流動資金によるこれも激烈な市場支配の争い、金融工学によるリスクの分散の保障が逆に膨大なリスクとなって跳ね返る自己矛盾がもたらす金融危機など、新自由主義は経済のニヒリズムの深淵をさらけだす。

あるいは普遍的とされる価値や制度の押し付けによる諸文明や諸文化との葛藤や摩擦の増大、これら《文明の衝突》が引き起こす暴力やテロや戦争など、経済合理性追求のメカニズムと連動する政治的合理性追求のメカニズムともいうべき新保守主義イデオロギーは、その目標とは裏腹に、反逆と非合理性を生みだし、世界に絶えざる緊張を呼び起こす。

いうまでもなくニヒリズムは人心を荒廃させる。先進諸国では、物質的貧困ではなく精神的貧困がひとびとをむしばむ。失業率と自殺率は上昇し、若年層に鬱病がひろがる。あらゆるレベルでのはげしい経済的競争に疲れ切ったひとびとは、GDP（国内総生産）の増大ではなく、ブータン王国が提唱したGDH（国内総幸福量）の目標にひそかに憧れる。

だがリーマン・ショック以降のグローバリズムの崩壊や、グローバリズムの自己矛盾がもたらしたユーロ危機は、東日本大震災にともなうフクシマ原子力発電所の大事故とともに、世界を出口の見えない袋小路に陥れる。それはたんに経済的あるいは財政的危機であるのではなく、近代文明とそれを推進してきた近代の知そのものの危機にほかならない。

近代のニヒリズムが生みだしたこの危機を克服するためにはまずなによりも、この章でとりあげてきたような、それに抗して新しい知を追求した偉大な先人たちの遺産を継承するとともに、誤って未開と呼ばれてきた諸社会の知や、古代や非近代の知をも包含するそれこそグローバルな脱近代の知をさぐり、確立しなくてはならない。

さいわいにして科学から芸術にいたる多くの領域で、すでに一九六〇年代からパラダイム・シフトと呼ばれる知の変革の努力がはじまっている。われわれは次章で「未開」や古代あるいは非近代の知からなにを学ぶべきかをさぐり、さらに最終章でそれらをも総合しながら、科学や芸術のパラダイム・シフトの状況と意味を考え、脱近代の知の確立のための一助にしようと思う。

第三章

認識の王道——「未開」と古代のリアリティ

星空と宇宙論

一九七〇年代に訪れたホピの夜空は、主要な星座を見定めるのに星の色を頼らなくてはならないほど無数の星々の燦然とした輝きにあふれていた。近年は公共施設の駐車場など人工照明が増え、かつての圧倒的な感動が薄れたとはいえ、いまも「文明」社会の夜空とは比較にならない美しさである。

それぞれの村の昔ながらの天文台――広場に面した東のもっとも高い家屋の屋上――には、毎日夜明けに太陽氏族から選ばれた布告首長《クライア・チーフ》が昇って太陽の運行を観測する。そこには外壁に逆三角形の溝が刻まれていて、たとえば東南の溝つまり「冬の家」に太陽が入ると、首長は広場で「皆の衆、太陽は冬の家に入りましたぞ。冬至の祭り《ソヤル》は三日後に採り行われますぞ！」と大声で布告する。冬至・夏至、春分・秋分をはじめ太陽暦の節々だけではない。かつてのわが国と同じく太陽暦・太陰暦を併用するホピでは、月の運行の観測も重要であり、さらにたとえば冬至の祭りでは、キヴァ（半地下式聖堂）の天井の暗黒の梯子穴――精霊を模した仮面装束のカチナだけが昇降を許されている――にプレアデス（ツォーツォーカム）が出現する時刻に最重要な儀礼が開始され、そこにオリオン三星《ホトムカム》が懸かる時刻に頂点に達する。

ホピにかぎらない。誤って未開とよばれているすべての社会、あるいは古代の諸社会では、天体の運行の観測は最重要な課題であった。なぜか。それは暦の作成に不可欠であり、狩猟・採集であれ、農耕・牧畜であれ、ひとびとの暮らしは季節の交替による大自然のいとなみに全面的に依存しているからである。文字のない社会では、暦は長老たちの日々の天体観測で告知され、文字のある社会では、それは精密に記録される。最も有名なのはマヤやアステカの石に刻まれた暦であり、マヤ文字の解読が進むにつれ、その驚くべき内容が明らかにされてきた。

紀元前数世紀から始まるマヤ文明の天文暦は、現代天文学に匹敵する正確さと精密さで知られている。太陽や月の運行だけではない。天体暦《イフェメリス》を構成する恒星についてはいうまでもなく、諸惑星のなかでも地球からみてとりわけ複雑な運行をする金星、つまり翼のある蛇で水と豊饒をつかさどる神ククルカン（アステカ名ケツァルコアトル）の化身とされる金星の観測は驚くほど正確で、金星蝕も予知されていた。また日蝕や月蝕の日時の予知についてはいうまでもない。冬至からはじまる一年三六五日の農耕のための太陽暦《ハアブ》、聖数二〇にもとづく一年二六〇日の宗教暦《ツォルキン》、両者の開始と終止が一致する数千年にわたる長期暦など、いまなおその壮大な暦はひとびとを魅惑し、メディアをにぎわわせている。

たしかに天体観測がそれほど精密である意味のひとつは、マヤの諸王国を支配した王たちが、みずからが宇宙の最重要な男神である太陽の生きた化身であることを、太陽の死と再生である日蝕などを通じて顕示するための手段であった。

だがそれだけではない。神々である諸天体は、大地の神々との密接な絆を通じて地上に豊饒をもたらすのであり、天文暦は、地球を含めて宇宙を運行するこれらの神々の言語の解読にほかならなかった。天空では金星に象徴されるククルカンが翼をもつ大蛇であり、乾季・雨季の季節の交替を告げ、その翼で天地を昇降し、雨季には雷とともに大量の雨をもたらして大地をうるおすとされるのは、この言語解読のみごとな成果である。ここでは神話は、自然現象やその法則と完璧に一致する。

ホピやマヤと同じく、冬至を太陽暦の起点とするわが国でも事情は同じであった。宇宙開闢神話につづき、宇宙の運行がはじまる『古事記』のもっとも重要な「天安河《あまのやすかわ》の誓約《うけひ》」の場面では、世界的に冬至の星座とされているプレアデス（和名スバル）とオリオン三星（和名カラスキ）の創造が語られる。つまり天を奪いにきたのではないかと疑う太陽の女神アマテラスに対して、そのような野心はもっていないと主張する弟にして水の大神スサノヲが、潔白のあかしにとウケヒを提案する。ウケヒとは、それが証されたとき何事かが起こるとする誓約である。ここではスサノヲがアマテラスの髪飾りのスバルの珠（まとまった鈴なりの玉）から子を、アマテラスがスサノヲのカラスキの剣から子を造るとする。

こうしてスバルの珠からアマテラスの息子五男神——五は聖数であるがスバルの主星は六個であるため『古事記』では次男に子がいるとし、『日本書紀』のいくつかの異書でははじめから六男神とする——が生まれ、カラスキの剣からスサノヲの娘三女神が誕生し、スサノヲはウケヒに勝つ。勝ちにおごったスサノヲのいたずらにアマテラスが怒り、天の岩屋戸に身を隠したとする冬至の直喩がそれにつづき、さらにアマテラスの復活を祈るための猥褻な神楽をともなう祭りにより、やがて太陽は再生する。これが本来一年で最重要な儀礼である冬至の祭り「ニヒノアヘ（新年の饗宴）」であり、いまなお宮中——残念ながら明治時代のグレゴリオ暦への全面改暦で十一月二十三日となってしまったが——で秘儀としておこなわれているだけではなく、民間でひろく、冬至近くの「霜月神楽」などとして、新しい年の豊饒をもたらす太陽と水の死と再生を祈る儀礼として細々と伝承されているものである。

神話だけではない。マヤには遠くおよばないとしても、たとえば奈良時代の記録には金星蝕が記されているし、『古事類苑』などの天文の部には、中国天文学の影響が明らかではあるが、天文学の詳細が記述されている。のちに伊勢のヤシロに移されたアマテラスの鏡を祀る神官たちが、天文と暦の作成をつかさどることとなる。わが国の古代でも、諸天体の自然科学的観察と神話とは、不可分の一体であったのだ。

神話的思考と科学的思考

レヴィ＝ストロースは、誤って未開とよばれている諸社会の神話的思考に対して科学的思考を近代に固有のものとしたが、それは誤っている。マヤが典型であるように、古代や「未開」では両者は不可分であるし、近代科学の源泉も自然史《ナチュラル・ヒストリー》とよばれているが、それらの社会の科学的思考と同じく、神話的思考と不可分であった。ひとは近代科学の創始者のひとりであるニュートンが、神話的思考というよりもその歪曲といっていい錬金術師であったことを意図的に忘却している。

近代ではむしろ、合理性信仰から科学的思考のみが正しい思考として絶対化され、神話的思考は非合理的なものとされ、排除された。排除によって神話的思考は体系性を失い、断片化され、歪曲され、迷信となり、たしかに非合理的なものと化してしまう。だが神話的思考は本来そのようなものではけっしてない。

たとえば近代社会にあっても慣習として継続されている年中行事である。キリスト降誕祭はキリスト教徒にとってもっとも重要な祭りであるが、イエス・キリストがグレゴリオ暦の十二月二十五日に産まれたとされるのはローマ教会の伝承にすぎず、コプトやロシア正教など宗派によってその生誕の日はまったく異なっている。むしろそれは、西ローマ帝国を滅ぼしたゲルマン諸族の冬至の祭りのキリスト教化にほかならない。

砂漠性の気候である現在のパレスティナの地に生まれたキリスト教とは縁もゆかりもない、緑の枝に白雪の樅の木のクリスマス・ツリー、トナカイの橇に深紅の防寒服のサンタ・クロースなど、そこにゲルマンの冬至祭りの残像をみいだすのはきわめて容易である。十字架につけられて死したキリストが、墓の暗闇から復活し、昇天したとされる復活祭も同様である。春分の後の最初の満月に行われていた、生命の復活を祝うゲルマン諸族の春の祭りがキリスト教化され、その満月に一番近い日曜日、つまりキリスト教の安息日に日時が移された。その年によって復活祭の日が異なるのは奇妙だが、もともとはゲルマン諸族にとって、満月こそ重要な宇宙論的意味を担っていたのだ。

そう、満月が重要なのだ。地球にとって、太陽の重力と月の重力との相互作用が引き起こす時空のさまざまなゆがみや変化が、潮汐作用をはじめ地球の活動の基本的なテンポとリズムを決定している。新月と満月が海の大潮を引き起こし、諸生物の繁殖や産卵をうながす。ヒトの女性の生理作用がどの言語でも「月」に関連しているのは、この循環にかかわりがあることを古代人が認識していたからである。

わが国でも冬至からはじまる太陽暦と、月の運行によって算定される太陰暦とが歴史上長期にわたって併用されていた。太陽暦は、冬至・春分・夏至・秋分の四分割がそれぞれさらに二分され、立春・立夏・立秋・立冬となり、その各節が三分割されて二十四節気となる。たとえば冬至と立春の区間は、「小寒」と「大寒」に分割されるが、この二十四節気とそれぞれの呼称は、いまなおメディアの気象情報などで愛用されている。また二十四節気のそれぞれを三分割する七十二候もあるが、そこまで言及されることはほとんどない。

太陰暦は、基本的に新月を一日とし、満月を十五日とする。満月を十五夜というのはこのことに由来する。月の満ち欠けは約二十九日半であるため、三十日の大月と二十九日の小月で調整するが、年三百六十五日の太陽暦との不足分の調整は、何年かに一度六月を二度挿入する閏月で補う。

この太陽・太陰暦の細分化や算定方法はたしかに中国の直接の影響であるが、ホピ同様、太陽と月の運行にもとづく暦は、古来わが国固有のものであったといってよい。冬至のニヒノアヘはそのことを証明しているし、かつては夏至の祭りであった田植えにかかわるサナヘや夏神楽も、花田植えやヤマタノヲロチ退治神楽などの行事としていまも各地で伝えられている。満月ももちろん重要である。

満月の力

たとえばグレゴリオ暦では八月下旬か九月上旬にあたる文月《ふづき》の満月、旧七月十五日におこなわれるお盆や、同じく九月下旬か十月上旬にやってくる葉月《はづき》の満月、つまり旧八月十五日の仲秋の名月、同じく十二月下旬か一月上旬頃の霜月の満月、つまり旧十一月十五日の七五三の儀礼である。

仏教の渡来によって仏教化されたが、祖先の霊を迎えるお盆の行事は、はるか古代からあったにちがいない。死者の魂は蝶に姿を変えて東南の海の彼方、つまり冬至に太陽が昇る方角にある常世《とこよ》の国に去り、この季節ふたたび蝶に姿を変え、戻ってくると信じられていた。したがって万葉時代、中国渡来の七夕伝説は例外として、天の神々である太陽そのものや星々を歌うことは禁忌であった——天の狩人である月については若干の例外がある——が、祖先の霊である蝶を歌うことも禁忌であったのだ。星と蝶をうたう歌が欠如していることは、そのことを証明している（そこから日本人は星に関心がなかったなどという研究者たちの馬鹿げた先入観が生じた）。

私の子供のころでさえ祖母たちは、「蝶々はご先祖様だから、捕ったり殺したりしてはならないぞ」と、子供たちをきびしく躾けたものである。

昼、その蝶々が舞う初秋の夜、仏壇のまえにともされた岐阜提灯の仄かに青い光を残し、家々の灯りはすべて消され、満月の光を浴びながら各戸の門口では、家族が総出で迎え火を焚く。明るい炎に照らされて、苧殻《おがら》の燃える独特の香りとうすくたなびく白煙があたり一面に漂い、手を合わせるひとびとを厳粛な気分に駆り立てる。

暦のそれぞれの節々で、ひとはなぜ日常性を離れ、このような厳粛な儀礼を執り行うのか。またその多くになぜ満月がからむのか。

宗教改革にともなう長期にわたる残酷で激烈な宗教戦争の悲惨な結果におののいた西欧

では、十八世紀の啓蒙思想の時代に厳格な政教分離の原則を定め、信仰を個人の私的な土観性の領域に閉じ込めた結果、近代社会はかぎりなく世俗化され、日常化されてしまった。非日常性が失われることで社会はどうなるか。

たとえキリスト教徒が日曜日ごとに教会に通うとしても、あるいはわが国でひとびとが伝統的な祭りや行事に参加するとしても、近代社会ではもはやそれは、いわば日常と異なった事柄を日常的に経験するにすぎないのであって、かつてひとびとが日常性との断絶を深く感じ、それにかかわることで獲得してきた非日常世界のひろがりを認識することはない。

非日常性のひろがりとはなにか。それは日常性のなかでは感じることのできなかった、ある種の時空の変化の体験である。古典的な力学や科学からすれば、物理的な時空そのものが変化するのではない、あるいはそれはたんに心理の問題だといわれるかもしれない。だが新月や満月では二天体の重力によって時空は微妙に変化するし、たとえ外部に変化がないとしても、みずからが引き起こす体内の気の流れの変化が、時空の微妙な変化をもたらすことは大いにありうる。

初秋の満月のお盆の夜、門口で焚かれる迎え火に子供たちが感じる厳粛な気分は、こうした時空の微妙な変化が呼び起こすなにものかなのだ。祖先の霊が帰ってくるという概念が、この雰囲気によって研ぎ澄まされた感性と相互作用をおこない、無意識の記憶の領域に蓄積される。つまり脳の右半球に喚起された非日常的な感覚は、左半球の同じく非日常的な概念と結びつき、その全体は重要な長期記憶として保存される。

これがいわば満月の力なのだ。満月や新月でないとしても、非日常的なものの喚起は体内の気の流れを変え、時空の曲率の微細なゆがみをもたらす。アインシュタイン以後の時空概念、あるいは最新の量子論は、そうした考えを保証する。

知覚・認知・認識

ＭＲＩ（磁気共鳴映像解読装置）など最新の機器や電子計算機の力を借りて、脳神経科学が驚くべき進展をとげてきた。人間の思考や行動が脳のどの部分を発火させ、どのような経路で相互作用をするか、などといった諸機能がかなり明確となってきたからである。

そのなかでたとえば言語や文字を解読する領野が男性と女性によって異なるという脳の性差、また言語でも動詞や副詞など行為にかかわる単語は前頭葉、名詞や形容詞など意味にかかわる単語は側頭葉といった領野の差異、あるいは言語が異なれば解読の発火場所が異なる――同じ単語が動詞であるか名詞であるかを文で判断する英語とその差異を助詞に依存する日本語などの差――という種族差、また表音文字であるか表意文字であるか両者の混交（日本語）であるかの違いによる使用文字による差異――表音文字解読は視覚野を経たあと主として左脳のみで処理されるが、ある種のパターン認識である表意文字解読には右脳もかかわる――など、きわめて興味深い事実がつぎつぎと明らかになりはじめている。

とりわけここで問題となるのは、人間の認識はどのようにおこなわれ、またどのように記憶されるかである。

感覚器官を通じて脳の感覚野に入力した人間の知覚は、それがなんであるか前頭葉の統合野で照合され、たとえばそれがオガラつまり植物苧麻《からむし》の幹を干したものと認知される。認知されたものが認識となるためには、概念や記憶やイメージなどと結合され、それがお盆の迎え火に焚かれるものであると理解されなくてはならない。だが概念や記憶やイメージは、電子計算機のハードディスクのようなものにあらかじめまとまったものとして貯蔵されているわけではない。脳の記憶のメカニズムはいまだに解明されているとはとうていえないが、視覚的・聴覚的・概念的など関連する諸要素を多様な領野に分散して入力し、必要なときそれらから瞬時に呼びだし、まとまった記憶やイメージや概念として出力するとされている。すなわち概念であるといっても、単純に言語を処理する左半球だけがかかわるわけではない。

さらにここでは長期記憶が問題となる。すでに知覚そのものがさまざまなノイズを排除するフィルターを通過しているが、認識されたものもフィルターでふるわれ、不必要なものは削除され、あるいは一定期間で消去される短期記憶として保存されるが、ほんとうに必要なもの——その判定者は意識やいわゆる理性ではなく無意識の構造である——はなんらかの過程をへて長期記憶となる。

こうしてお盆の夕べのオガラを焚く香りを含めた光景すべては、長期記憶として無意識の小宇宙深くにしまいこまれる。呼びだされるときそれは、たんなる概念ではなく、この光景全体であり、なによりも感覚や感性としてよみがえる。

これが構造化された無意識というプラティークの世界である。学習する自国語または標準語あるいは外国語とちがい、母語はこのプラティークの世界から無意識にあふれでる言語であり、文法や構文法をまったく知らなくても自由に駆使することができる。記憶としてよみがえるお盆の光景は、その厳粛な非日常の雰囲気とともに、あるずっしりとした質感を伝える。それはなにか。プラティークの世界深くに眠り、そのほかの非日常的な行事や儀礼などの記憶と結びついたある体系の喚起であり、言語や概念だけでは表現できないなにものかである。

これが人間の思考の根底をかたちづくる体系であり、無意識すなわち身体性に規定されているがゆえに、人間の自然性（本性）そのものであるといってよい。それを通じてのみ、人間は自然や宇宙との一体性を獲得できるだけではなく、人間相互の真の交流や交感を手にすることができるのだ。これこそがスピノザやカントなどが追求した人間の自然性としての倫理《エシックス》であり、法の源泉にほかならない。

法と法律

確かに多くの文明社会では立法がおこなわれた。記録として残されたものとしては世界最古といわれる紀元前一六九〇年頃のハンムラビ法典や、紀元後約一〇〇年頃のマヌ法典をはじめ、その例は枚挙にいとまがない。私権の衝突で訴訟社会となった近代諸社会では、つぎつぎと起こる諸問題のためにあらたな法律が制定され、膨張しつづける法典はひとりの人間の知の限界を超えるものとさえなっている。

だがこれら法律の集成は、その時代の社会を支配すべき規範や規則、つまり意識的行為であるプラクシスのレベルでおこなわれるものであり、感性や身体性にまったくかかわりのない言語的概念によって表現されるものである。言語の意味の解釈で対立があるとしても、それは観念、ときにはイデオロギーの対立であって、法的合理性や法的無矛盾性（一貫性）追求のもとでの争いである。そこでは感情や感性は非合理的なものとして排除され、たとえば刑事犯罪における情状酌量といった感情にかかわる判断も、他の諸記録と同じく個人史という記録として法的合理性追求に組み込まれる。

しかし法律やその集成としての法典は、その時代の社会に適合したものであり、社会や時代が異なればときには意味をなさないものとなる。ハンムラビ法典が規定する自由民と奴隷の区分などがそれであり、また女性は「幼くしては父に従い、若くしては夫に従い、年老いては子に従うべし」などというマヌ法典の規定は、今日のフェミニストたちを激怒させるだけである。

そんな昔にさかのぼるまでもない。ごく近年アメリカでは、同性愛を禁じるテキサス州法の規定は合衆国憲法に違反するという判決が、合衆国最高裁判所でくだされたばかりである。かつては恐るべき道徳的背理とされた同性愛が一般的となり、同性の婚姻をなんらかのかたちで認める州が増大している社会的現実がそこにある。

つまりプラクシスのレベルでの判断、いいかえれば道徳的規範を設定するいわゆる社会的理性——近代理性と読み替えることも可能である——は、こうした限界から逃れることはできない。なぜならそれは、そこに現にある社会というリアリティを前提にせざるをえないからである。そのうえ近代社会においては、そのリアリティでさえ、幾重にも張り巡らされた制度という透明で目にみえない壁が立ちはだかり、認識をさまたげられることとなる。

たとえばわが国の刑法では、一般のひとびとにとってはもっとも身近で重大な犯罪である殺人は、第二編「罪」の第二十六章「殺人の罪」としてようやく登場するにすぎない。そのまえには国家や公務あるいは公共の制度や施設などに対する犯罪の規定が延々とつづく。人間としての道徳よりも、国家や自治体あるいはそれらを支える諸制度を維持する道徳がまず求められている。いいかえれば本来人間個々に備わっているはずの主権——みずからを治める権利——を超えて、個々人から委託されているはずの国家の主権が優先するのだ。

だが「ヒトを殺すな」というカント的意味での定言命令《カテゴリッシェ・インペラティフ》、すなわち論理的前提のない絶対的命令は、あらゆる世界宗教の倫理の第一条件であり、「未開」と呼ばれている諸社会の不文律のこれも第一条件である。人間にかぎらず生き物すべての殺生を禁ずる「不殺生戒《ふせっしょうかい》」は、宗派を超えてすべての仏教の第一の戒律であり、それはヒンドゥーのアヒンサー（非暴力）に由来する。「汝殺すなかれ」は『出エジプト記』に記されたモーセ（ムーサ）の十戒の第一戒であり、ユダヤ・キリスト・イスラームの三つの兄弟宗教すべてが共有するものである。

倫理と道徳

ホピでは、食用としての動物を殺すのは儀礼をともなうことで許される。だが殺人や自殺などヒトの殺生は、もっともおぞましい行為であり、「ホピ」という不文律の最大の侵犯である。「ホピ」とは、平和である、礼儀正しい、寛容であるなどヒトがもっとも理想とする行動様式の感性的でイメージ的な全体概念である。子供の躾においてもっともきびしい叱責は「カ・ホピ！（ホピでない！）」であり、ホピかカ・ホピかは、ホピのひとびとのもっとも根底的な倫理判断の基準となる。

マヤやポリネシアのように儀礼に人身の供儀がともなう場合でも、それは神々の要請への服従であって、けっして殺人ではない。あるいはホピでもかつてあったナバホやコマンチなど戦士部族の襲撃――モノの略奪や勇気を試す成人儀礼の一環などであって殺戮が目的ではない――に対する防戦でも、敵の撃退が目的であって、偶発的に殺人が起きたとしても、それはウサギや仔羊など家畜を襲うコヨーテを殺すのと同等とされる。敵を動物と同等と見るのも、けっして敵を侮蔑しているわけではない。ヒトも動物も対等な生物なのだ。

事実、かつて戦士部族相互で繰り広げられた定期的な部族間戦争でも、殺人そのものはけっして目的ではなかった。ラコタ族では最高の戦功は敵を殺すことではなく、武将級の生きた敵の肩をたたくフランス語でクーと呼ばれる行為であり、しかも素手で打つのがもっとも名誉あるものとされ、次善が槍などで打つこととされた。クーの一撃ごとに戦闘冠に鷹の羽を増やすことが許され、戦闘首長ともなれば、羽飾りを背から腰にいたるまで華やかに垂らすこととなる。

殺すな、という倫理は人類にとって普遍的なものであり、むしろ遺伝的なものである。

事実、動物とりわけ哺乳類においては、同種間の殺戮はほとんど存在しない。雌の群れを新しく制覇した雄ライオンが、前覇者の仔たちを殺す、あるいはチンパンジーでも同様の行為が認められるが、たとえ雌をめぐる闘争でも成人同士の殺し合いなどはありえない。

それだけではない。集団生活をいとなむ動物はつねに相互扶助をし、弱い者あるいは障害のあるものをいたわり、保護する。肉食動物は共同で狩りをし、獲物は公正に分け合う。集団には均衡や安定のルールが暗黙裡に存在し、破られることはない。それらの行動は遺伝情報にしたがうものであり、遺伝情報は自己の欲望やルールからの逸脱をたくみに制御する。

つまりヒトにとってもこれらの基本的倫理は、何百万年も受け継いできた遺伝情報なのだ。プラティークつまり無意識の行動や思考の領域は、遺伝的なものであり、哺乳類固有のものであるとともに、ヒトの進化にともなって獲得され、蓄積されてきた形質の構造化にほかならない。第四章でとりあげるように、現在の生物学の最先端にあるエピジェネティックス（後発生遺伝学）がこのことを証明している。

この無意識深くに埋め込まれた倫理あるいは法と、そこから派生しはするが、その時代や社会という眼前のリアリティに拘束されるプラクシスまたは意識的行為としての道徳やその法体系は、ときには密接に関連するが、ときには矛盾しさえする。その当時のリアリティにおいては正しいとされ、確定した判決が、のちにくつがえされるたりするのはこの矛盾を示している。

ヒンドゥーでは法に相当するダルマという用語は、この二重の性格をもち、したがってなにがダルマ（正しい）であり、なにがア・ダルマ（悪い）であるかの判断はきわめて難しいとされる。《極細の絹で織られたサリーの如く、ダルマは微妙にして滑り易し》である。そしてひとはつねに、ここでいうプラティークとしての倫理に立ち戻らなくてはならないとされる。

文化と言語

人間の心性や思考のこの二重の構造を知れば、文化や文明の構造もおのずから明らかとなる。すなわち文化はプラティークのレベルで生成し、文明はプラクシスのレベルで築かれるものといえる。

無意識の倫理についてみたように、プラティークのレベルは基本的にヒトにとって普遍的である。だがその具体的なあらわれは種族によって異なる。種族《エスノス》とはひとつの言語を共有する集団であるが、生業のありかたや生活圏の気候風土との不可分な関係が、その集団の文化をはぐくみ、形成する。

とりわけ言語は、生業のありかたや気候風土などと不可分に形成されてきたものであるが、無意識の思考体系をかたちづくるうえできわめて重大な機能をはたす。

たとえばホピの言語である。彼らの主要な村々がある三つのメサ（テーブル状台地）によって方言が異なるが、基本的な構文論や意味論は同じである。かつてベンジャミン・ウォーフは、ホピ語にはSAE（標準的・平均的ヨーロッパ語）にあるような過去・現在・未来形の時制はない、と主張して大きな反響を呼び起こした。現在多くのホピ語の専門家たちはこれを否定し、ホピ語にもSAEとはまったく異なるが固有の時制があることを主張し、証明している。

ウォーフの名誉のためにいえば、時制が存在しないのはホピ語の背後に隠された、近代の欧米人とはまったく異なった彼らの世界観あるいは形而上学に由来するからだとしたが、この観点そのものはまったく正しいといわなくてはならない。

なぜなら、ホピ語には現在形と未来形が存在するが、この未来形はSAEのそれとはまったく意味も機能も違っているからである。

ホピ語の未来形は、文の終わりに接尾辞《ニ》がつくことで示される。たとえば、便宜上片仮名書きにするが、《ヌ・ヒイサヴォニク・ソンクア・プウヴァ・ニ》という文がある。日本語では《ちょっとひと眠りしたい》と訳せるだろうし、英語でもI'll take a nap for a while といったこととなるだろう。だがこの文を紹介したエックハルト・マロトキはI will probably fall asleep in a little while という仰々しい英訳を付している。それはなぜか。

ホピの予言によれば、人類は誕生以来三つの世界を経過し、現在われわれは第四の世界に住んでいるが、それもやがて終わりを告げる。第五の世界から第八の世界にいたって最終的に人類は消滅し、第九の神々の世界ですべては終わるという。いずれにせよ未来は神々の意志にゆだねられているのであって、人間が未来を左右することはけっしてできない。したがってホピ語の未来形は神々の意志をあらわすのであって、たとえうたたねといえども、それはわが身をその意志にゆだねる行為なのだ。

SAEの未来形は、英語の《アイ・ウィル》が典型であるように、すべて意志未来であり、人間が主観的にこうしたい、あるいはこうありたいという意志を表現するものである。日本語の《であろう》といった未来形は、明治以後の欧米語の翻訳によって生じたが、それ以前の古語の、国語学でいういわゆる未然形《かくあらむ》などは、むしろホピの未来形に近い含意をもっている。人間にとってはこうありたいが、それは神のみぞ知る、というニュアンスである。

だが近代化した日本語は、近代のSAEと同じく、未来形を含め、主観性の表現媒体と化している。ホピや古語のように、主観性を超えた存在の深い影はもはやそこにはない。

このような言語における主観性の支配は、デカルト的二元論にもとづく近代では、当然その対立物としての客観性の支配をも生みだす。いうまでもなくそれは自然科学の言語、とりわけ数学言語である。

数学言語は、個々の単語に相当する元としての数学記号、いわば動詞としての演算記号、それらを組み合わせる文としての数式からなるが、その合理的な客観性の指標は、演算によってもたらされる数値または量として示される。すでに述べたようにその典型は微積分であり、近代科学だけではなく、産業にいたるまで近代文明を築く根幹となってきた。だが主観性の言語にそれを超えた存在の影がないように、この客観性の言語にも、目にみえるリアリティを超えた存在を記述する力も方策もない。

しかしそのなかから、目にみえるリアリティを超えたリアリティの記述を可能にするような新しい数学言語が出現する。いわゆる抽象数学である。それが「抽象」であるゆえんは、もはや量や数値にまったく関係なく、いわば質の数学として自由な思考の天空を飛翔するからである。このことは第四章でくわしく触れるが、きわめて興味深いことには抽象数学は、レヴィ＝ストロースが《野生の思考》と名づけた「未開」や古代のトーテム的思考体系とみごとに共鳴し、それらを記述し、分析できることを明らかにした。

その意味では抽象数学は、人間の認識の王道のひとつであるといっていい。

文化の深層と対称性

抽象数学は事物の実体ではなく、その関係性や論理の厳密な追求であるが、その典型のひとつが対称《シンメトリー》の問題に深くかかわっている。

人間が動物と根本的に異なる点は、自己をとりまく自然をはじめとする諸事物を、そのまま、または裸で認識するのではなく、《記号》として抽象化して認識することである。

たとえばわれわれ日本人にとって切っても切れない関係にあるサクラである。植物としてのサクラの種は何百種にものぼり、多くの野生種はわが国の山野をその豊麗な花で彩ってきた。そのヤマザクラを基礎に人工的な交配がおこなわれ、明治以後はもっとも人気のあるソメイヨシノが全国いたるところで栽培され、植えられてきた。だがわれわれが「桜」というとき、ほのかな淡紅色を帯びたこのソメイヨシノの花の圧倒的な満開のイメージとともに、それがすでに記号化されていることに気づく。

たしかにそれは桜という言語にかかわっているが、たんにその意味や概念だけではない。それにまつわる感性やイメージと分かつことができない。そのうえそれは暗黙のうちに、なんらかの対となる記号を前提としている。

たとえばわれわれは右というとき、無意識に左に対しているが、左右・上下・前後といった方向や位置の対称だけではなく、具体的な事物にもとづくこうした記号も対称性をもつことになる。桜といえば無意識に紅葉を前提とし、その季節として春に対して秋を想定する。私はそれを《記号の対称》と名づけているが、動物と同じく裸の事物を認知するレベルを超えて何事かを思考し、認識するとき、事物は記号となり、対称性を帯びる。なぜならすでに科学的思考と神話的思考について触れたように、人間の思考は基本的にプラティークの領域に隠された構造、数学的にいえば記号の対称を束ねるある種の束《ラティス》の構造にしたがって無限に織りなされていくからである。

しかも重要な記号は、その種族の宇宙論や世界観にかかわっている。われわれ日本人にとって桜が特別なものであり、感慨を呼び起こすものであるのは、それがわれわれの神話的思考のひとつの象徴であり、われわれの古代の宇宙論に深く根ざしているからである。

少なくとも縄文時代の末期からわれわれは、熱帯・亜熱帯植物であるイネの栽培をおこなってきた。たしかに中世においてもまだ雑穀の方が生産量は多かったかもしれないが、われわれの神話にもとづいて、イネは《お米》——それを焚きあげた《ご飯》や《お餅》など、いまもなおすべてに敬称がつけられている——という記号となり、太陽の女神アマテラスの孫が天からこの地上にもたらした聖なる作物とされた。

モンスーン地帯の東端として梅雨という雨季があり、その後の亜熱帯並みの高温多湿の夏があるという気象条件が、温帯に位置する日本列島での稲作を可能にした。われわれの祖先がこうした気象条件にきわめて鋭敏になるのは当然である。

太陽の死と再生である冬至から冬の気象を支配するのは、いわゆるシベリア高気圧から吹き降ろす北西の強烈な季節風、古語でいうアナシである。暖流である日本海流から猛烈な水蒸気を吸い上げ、日本海側に豪雪をもたらし、太平洋側に乾いた強風を送る。神話的にはこの季節の凶暴な季節風を支配するのは、スサノヲの娘である星座カラスキ(オリオン)

の三女神、風神であり軍神である三女神にほかならない。雌のヲロチ（大蛇）あるいは角のない龍として表象されるこの荒ぶる女神が、荒御魂《あらみたま》を鎮め、夏の常世――東南の海の彼方にある神々と祖先の地――に泳ぐ海亀の姿――夏の夜半に昇るカラスキ全体は海亀とみたてられる――の和御魂《にぎみたま》に変わりゆくのが春であり、吹雪に代わりその白い鱗を花吹雪として散らす。その和御魂を愛で、囃し、やがて始まる稲作の豊饒をねがう儀礼が花見の宴《うたげ》なのだ。

秋の紅葉狩りは、それと対称をなす儀礼の宴である。カエデの類を主とした山野のみごとな紅葉は、織物の豪奢な錦にたとえられ、われわれのアイデンティティを形成するもうひとつの原風景となっている。秋はこの龍としての三女神が錦の衣をまとって冬の天空へと上昇する季節であり、その劇的な姿は能の『道成寺』で、金襴の鱗衣裳をまとい、恐ろしい般若面をかぶり、ヲロチと化して身をくねらせる清姫となって示される。紅葉狩りは、この気象の女神たちが必要以上に荒ぶらないようにとの願いを込めた荒御魂鎮めにほかならない。

このいずれも古代の宇宙論の一端としての気象にかかわる神話とその記号の対称であり、それにともなう儀礼の宴である。これら記号の対称、すなわち「桜：紅葉（春：秋）」「冬至の星座カラスキ：夏至の星座ヲロチ《スコルピオ》（風神：雷神）」などは、いずれも相たがいに関連する《交わり》をもち、気象や星座などといった《結び》をもつ束の構造として展開する。

文化の隠された構造

近代社会科学のひとつであり、経験論の立場に立ってきた旧来の文化人類学や社会人類学は、それぞれの種族の調査にもとづく資料を分析し、近代社会とは異なる思考体系や親族体系などを明らかにしてきた。それらが大きな業績を挙げてきたことを否定するつもりは毛頭ないが、そこで明らかとなった問題は、調査するものも調査されるものもともに、経験のレベル、つまりここでいうプラクシスのレベルでの情報の交換に頼り、その限りでの分析に依存していたことである。

つまりいわゆる情報提供者は、慣習や伝承として伝えられてきた事物や現象を語り、調査者はそれら断片をつなぎ合わせ、そこに存在する体系を明らかにしようと努力する。だが情報提供者も、それらの事象を語ることはできても、それがなぜそうなるのかというプラティークのレベルの構造を認識しているわけではまったくない。

前記に関連していえば、日本人であればだれでも桜狩りや紅葉狩りの風習について、またそこでどのような宴がおこなわれ、なにがふるまわれるかについて語ることはできるが、いま分析したような宇宙論的な意味やその数学的でさえある構造についてはまったく認識してはいないし、説明することもできない。「昔から伝わってきた慣習だ」、あるいはせいぜい歳時記などから借りた知識や見解を述べる程度であろう。

経験論的なレベルでいくら資料を集め、分析しても、プラティークのレベルに隠されているこうした構造を明らかにしないかぎり、文化の全体性を認識することはできない。レヴィ＝ストロースからはじまった構造人類学は、理論物理学と同じように、目にみえないリアリティに存在すると思われる隠された構造を探るために、抽象数学、とりわけ対称をあつかう群論によってモデルを構築し、それが経験論的レベルで集められた資料に適合するかどうかを判断する。それが適合的であればそのモデルは正しく、隠された構造そのものであることがわかる。

このような方法によって明らかとなったことは、人間社会、とりわけ誤って未開と呼ばれてきた社会のプラティークのレベルには思いがけない多くの構造が存在し、それらが社会の安定と均衡をたもつみごとな役割を果たしてきたことである。

そのひとつが、フェミニスト人類学者たちの活躍によって明らかとなった《ジェンダーの構造》である。

かつてパプア・ニューギニアを調査した多くの男性人類学者たちは、これら諸部族は父系継承の親族体系をもつだけではなく、ときには妻に対して暴力さえ振るうことのある男性の絶対優位社会であると報告してきた。例外はセピク河下流域に住むチャンブリ族を調査したマーガレット・ミードであり、そこは父系継承であるにもかかわらず、女性が強く、稀にみる女性優位社会であるとした。

だが近年のマリリン・ストレイザンやデボラ・ギワーツなどの女性人類学者たちは、これらの調査が、たんに西欧近代の視座からの調査というだけではなく、ここでいうプラクシスのレベルでの調査や分析にすぎず、プラティークのレベル深くに隠された構造を見逃しているとして、それら部族文化の全体像を明らかにしようとしている。

たとえばストレイザンはパプア高地では、親族体系は父系継承であるが、男性と女性はそれぞれ独立したまったく異なる世界を形成していて、そこには近代社会科学のいう《社会》という概念すら存在しないと主張する。すなわち部族の根本的な力の源泉である霊力（ポリネシア語のマナ）はすべて女たちの所有であり、女たちはそれをわけもつ親密な共同体をかたちづくる。男たちの世界はきわめて競合的であり、それぞれの男は孤立している。彼らの競合を駆りたてるのは霊力であるが、それは他氏族に嫁いだ肉親の女たちによってのみあたえられる。

部族全体の均衡は、霊力を担う《贈り物のジェンダー》によってはかられる。女を贈る氏族に対して、贈られる氏族は豚などの多量の贈与をするが、それはあたえられた霊力の償いには少なすぎ、大きな負債となる。こうした霊力の交換とそれを支えるジェンダーの体系は、表層の父系継承社会を深層からいわば逆転させ、ジェンダーの均衡にもとづく安定を保障する。時には男たちが暴力的になるのは、むしろ彼らの弱さからである。

チャンブリもまったく同じである。ミードのチャンブリをあえて再調査したギワーツによれば、ここでも霊力の源泉は女たちにある。夫と妻は「敵対関係」にあり、夫は精液や唾液から自己の守護霊を盗まれはしないかと妻に戦々恐々とし、妻の命令に唯々諾々としたがう。男たちを救うのは他氏族に嫁いだ肉親の女たちとの「親和関係」であり、男たちは彼女らから霊力を補ってもらうだけではなく、妻との関係を調停してもらうのだ。

高地であれ低地であれ、パプアではプラティーク・レベルのジェンダー体系はまったく同じであり、ただ弱い立場の男たちの態度が、反抗的か服従的かのちがいにすぎない。

ジェンダーとはなにか

ジェンダーの均衡《ジェンダー・バランス》という考えは、「未開」をはじめ多くの非近代社会ではきわめて普遍的である。

ヒトを含め、多くの動物や生物はオスとメスという性《セックス》の違いをもっている。これらの社会のひとびとはきわめて精密な自然観察者であるから、それらの違いを認識し、どのような仕組みで子孫が誕生するか、理解していることはいうまでもない。

だがすでに述べたように、この科学的思考による認識を超えて、彼らは神話的思考にしたがって万物をジェンダーで分類し、それにもとづく世界像あるいは宇宙論を造りあげる。たとえばそのもっとも精密で徹底したものは古代中国の陰陽（女性・男性）分類による世界像であるが、紀元前五世紀にすでに磁石（指南）を発明し、地球の南北の磁気を知っていた古代中国人が、陰陽を磁気のマイナス・プラスに直接対比していたことは十分に考えられる。事実、神話的思考と自然科学的事実とを類比させる古代中国のこうした考え方は、電磁波にかぎらず、万物は二つの極または要素の対称からなり、対称の破れは、より高い次元による超対称《スーパーシンメトリー》の実現によって補われるとする現代物理学の基本的な考え方に照応しているが、そのことはまたのちに触れよう。

そこではたとえば天体の太陽は陽つまり男性であり、月は太陰つまり女性である。中国神話によれば、宇宙の創造神盤古の左目から太陽、右目から太陰から生まれたとされる。『古事記』の神話とまったく同じであるが、わが国では太陽アマテラスは女神、月ツクヨミはその弟の男神であり、ジェンダーは逆転している。天体のジェンダーは種族の神話によって異なっていて、ゲルマン諸族ではわが国とまったく同じであるが、ギリシア・ローマ神話から出発したロマンス語系諸国では、太陽は男神、月はその妹の女神である。イギリスつまりアングロサクソンも本来はゲルマン系であるが、ノルマン人の征服以来フランス語の影響でジェンダーは逆転し、太陽は男性、月は女性となった（天体にかぎらず英語には名詞のジェンダー区分はないが、代名詞で受けるときは「彼」または「彼女」となる）。

インド・ヨーロッパ語系諸言語の名詞のジェンダー（男性・女性・中性）は、このようにそれぞれの神話にもとづいている。ジェンダー区分のない言語でも、たとえば日本語では山容の優美なヤマは女性、峨々としたタケは男性、あるいは動物の雌雄にかかわらずキツネは女性、タヌキは男性である。キツネは稲の女神の使い、タヌキはその夫である雷神の使いだからである（稲妻《いなづま》の語は雷神が稲の女神の夫であることに由来する。古語ではツマは配偶者相互を指し、夫もツマでありイナヅマは本来「稲夫」と表記すべきである）。

英語を含めゲルマン系諸語でイヌまたはオオカミが男性、ネコが女性であるのは、前者が雷神の使い、後者がその妻である雨の女神の使いだからである。英語で土砂降りを「レイニング・キャッツ・アンド・ドッグズ」というのはこの神話に由来する。

勇猛果敢な戦士部族であったナバホでは、中国同様、万物を徹底的にジェンダーで二分するが、はげしいものや猛々しいものは女性であり、温和なものは男性である。たとえば晴天に浮かぶ白雲は男性、嵐を呼ぶ黒雲は女性である。なぜならエスターナートレヒ（英語チェンジング・ウーマン）と呼ばれる恐ろしい女神は、自然そのものの象徴であるが、若い絶世の美女でありながらときに怒ると鬼女となり、荒れ狂うからである。このジェンダー分類は、母系社会であり、チャンブリ同様いわば恐妻社会であるナバホの世界観を示している。

《父なる天》と《母なる大地》というジェンダー均衡はどの部族や古代社会にもみられるものであり、抽象的な法である前者と具体的に生みだすものである後者との均衡が図られ、調和しているかぎり、世界に安定と豊饒が約束されるという思考は、人類にとって普遍的である。
この究極の対称は、また同時に他界と現世というこれも究極の対称に対応している。

他界

プラトンの有名な洞窟の比喩によれば、われわれは現世という名の洞窟に住んでいるのであり、洞窟の壁に映じた輝かしい外の世界の幻影をみているにすぎないとする。現世に生きているかぎりみることのできないこの外の世界こそ、真実の世界すなわちイデアの世界であるという。

西欧哲学史ではプラトンはカント同様極端な観念論者として扱われているが、それは中世末期イスラーム中世哲学の影響により、キリスト教神学がアリストテレスの実在論に大転換し、それを継承した近代西欧哲学の主流が、この現世のみが実在の世界であるとする実在論一色となったからにほかならない。

むしろ目を世界にひろげれば、プラトンの考え方がきわめて普遍的であることがわかる。たとえばヒンドゥー哲学である。

紀元前三百年頃集成された大叙事詩『マハーバーラタ』の一節『バガヴァッド・ギーター（神の歌）』が、この考えをきわめて具体的に説いている。すなわち『マハーバーラタ』は、まだ神々が人間と交わりながら暮らしていた時代、それぞれ神々の庇護を受けるパーンダヴァとカウラヴァという王国の支配権を争う二大有力氏族の葛藤と戦いをえがいたものである。結末は、最大の激戦でのパーンダヴァの勝利ののち、戦いのむなしさに主要人物の多くは森に隠遁し、あるいは互いに殺し合い、あるいはヒマーラヤで死に、すべては滅亡するというものである。インド学者のウェンディ・ドニガーはこれを、世界最大の反戦叙事詩と呼んでいる。

それはともかく、「バガヴァッド・ギーター」はこの二大氏族の最後の決戦をまえに、パーンダヴァの勇者アルジュナが、敵ではあるが多くの知人や師でさえあるひとたちを殺し、みずからの陣営も多くの犠牲者をだすにちがいない戦争のむなしさに煩悶し、もだえているところに戦士の姿で出現した神クリシュナが諭す場面であり、ヒンドゥー世界観の精髄が具体的に述べられている。

クリシュナによれば、この世は神々が創りだしたものであるが、その神々さえもそれを構成する一部となっているマーヤー（幻影）の世界にすぎない。だがマーヤーを超えた真に実在する世界がある。そこにいたろうと目指し、努力することこそが人間の名に値する行為である。だがどのようにしてそこにいたることができるのか？

クシャトリアすなわち戦士であるおまえが、この戦いから身を引くことによってはそこにいたることはできない。マーヤーの世界においては、勝利することも敗北することも実は同等であり、そのこと自体で真実の世界にいたる手立てとはならない。勝たなくてはならないという欲望や執着をまず捨てよ。そのうえでみずからのカルマ（行為）に加わり、それがいかなるダルマ（法）の支配のもとにあるかを知るべきである。カルマを行わないかぎり、ダルマがなんであるか知ることはできない。

たしかに戦いは暴力である。大きな魚が小さな魚を食うように、世界は暴力の連鎖からなりたつ。それはアヒンサ（非暴力）というダルマに反する。このように世界は矛盾に満ち満ち、また永遠に矛盾のサンサーラ（輪廻＝循環）からなりたつのだ。だがこの矛盾を乗りこえるためにも、みずからのカルマにしたがうほかはない。それはなにによってなされるべきか？　宇宙の究極のダルマへのバクティ（信愛）によってである。たとえ敵を殺したとしても、またみずからが殺されたとしても、それは宇宙をあまねく満たす不滅のものに帰るカルマであり、また同時に不滅のものへのバクティ（帰依）のみがおまえたちの不滅を保障する。

　これがヨーガの道なのだ。カルマ（行為）・バクティ（信愛）・そしてそれらの意味を知るジュニャーナ（知）の三つの道、そのいずれから入るとしても、その道を究極まで歩み続ければ最後にはすべては総合され、真実の世界にいたる。マーヤーの世界の帳《とばり》を破り、真実の世界が見えるとき、それをモクシャ（またはムクティ＝解脱）という。モクシャの境地にいたったとき、はじめてマーヤーの世界の恐るべき矛盾がみえ、また宇宙の究極のダルマがそれをいかに解決するかがみえてくるのだ。その境地にいたるためにも、まずおまえは目前の戦いに参加しなくてはならない。

　クリシュナのこの教え——要約するのはきわめて難しい——にしたがってアルジュナは戦闘に参加し、戦車の御者となったクリシュナの力によって勝利を手にする。だがそのむなしさを自覚した彼の結末、ヒマーラヤでの死は上記のとおりである。

　矛盾とは、物理学の用語でいえば対称の破れまたは破綻である。宇宙の究極のダルマとは、それをより高い次元で解決する超対称《スーパーシンメトリー》といってもさしつかえない。

　そして現世と他界というこの対称も、人間が現世に属しているかぎり対称の破れにほかならない。だが修行という高次元の介入によって、対称は超対称として回復する。モクシャ

（解脱）の境地に到達したとき、ひとはこの宇宙の超対称にまみえることができるのだ。いずれにせよ現世を超えた真実の世界があるという認識は、古代や「未開」にとってきわめて普遍的であり、人類の認識の王道であった。

他界の力

他界は、近代人が考えるようなたんなる概念ではない。それはもうひとつのリアリティ、しかもこの目にみえるリアリティよりもはるかに重要なリアリティであり、すべての思考体系の源泉なのだ。

このリアリティは、現世の存在に重力に似たある種の影響をおよぼす。たとえば近代人が極度に非合理的なものとみなすいわゆる呪術である。

たとえば人類学者のゲアリ・ウィザースプーンが目撃し、記述しているナバホの老女である。一九六九年の夏、彼が調査のため泊まっていた家の近くの八十二歳の老女が、突然病気となり、ガナドにあるプロジェクト・ホープという近代病院に緊急入院した。二週間にわたり彼女は意識不明となり、点滴によってようやく生きながらえていた。家族は急遽メディスンマンを呼び、診断と治療を依頼することになった。メディスンマンは非ナバホの死者の霊と接触したためだとして、「敵の道《エネミー・ウェイ》」の儀礼を行なうよう勧告した。医師たちは点滴を外したらほどなく死ぬと猛反対したが、家族は意識不明の彼女を無理やり家に連れ戻し、メディスンマンによる三日間の儀礼を執り行った。まだ儀礼の最中に彼女は意識をとりもどし、儀礼の終了時には普通に歩けるようになっていた。その場にいた地域の学校の非ナバホの教師たちは驚愕したが、ナバホのひとびとは驚くどころかまったく平静であった。その後ウィザースプーンは一九七三年にこの老女に再会したが、きわめて元気で日常生活をこなしていたという。

ウィザースプーンはこの現象を、超自然のヴィジョンを強固に共有するナバホ共同体が造りあげた精神的な絆が、身体的で感性的なものを通じて作用し、老女の意識をとらえ、身体に生命の流れ——東洋風にいえば気の流れ——を回復させたのだとし、彼らのこの思考体系と行動をみちびく感性は一貫して合理的であるとするが、その通りであるだろう。

ナバホにかぎらない。誤って未開とよばれている諸社会では、たとえば死の呪術をかけられたと信じたものは、実際に精神状態に異常をきたし、心身症を病んで死ぬ。またこのナバホの老女のように、超自然から力をあたえられたと信じたものは、身体的病いや精神的病いからみごとに回復する。近代社会でも、信仰に結ばれた宗教的共同体において、祈りや題目を唱えることに集中した結果、病いが癒えたとされる事例が多くあるが、それは宗教団体の宣伝などであるのではなく、真実なのだ。

こうした事例のなかでもっとも目立つものが「奇蹟」と称されるが、オカルト的な意味での奇蹟などは存在しないといっても過言ではない。ESP（エクストラ・センソリアル・パーセプション＝感覚外的知覚、いわゆる超能力）とも名づけられるこれらの現象は、近代科学としての物理学からは非科学的な迷信にすぎないと一蹴されてきたが、むしろ現在最先端の物理学では解明の対象となり、専門論文さえ書かれるようになった。

私見によればそれらの現象は、ヒンドゥー哲学でいう「プラーナ」、中国の道教哲学でいう「気」にかかわっている。

われわれ動物は、大気または水に含まれる酸素を体内に吸収し、脳の活動を含め、その燃焼エネルギーで生きているが、とりわけ人間は、その発達した脳のおかげでこの燃焼エネルギーをみずから統御することができる。プラーナまたは気は、大気とそこに含まれる酸素であるとともに、体内のこの燃焼エネルギーの流れをも指す用語である。それは物質であると同時に脳の思考そのものでもあり、また個々の人間の身体と思考を、大自然さらには大宇宙と結びつけるものである。

普通のひとでもある程度気の統御はできるが、ヨーガや気功などの修行を積んだものは、ほとんど自在に統御することができる。達人とはいえないがある程度ヨーガを習得した私でさえ、気による怪我や病気の治療の経験は豊富である。演劇学生たちとパフォーマンスのリハーサル中、ある学生がバレエ用のバーに頭を打って意識不明になり、周りは救急車を呼ぼうと大騒ぎになったが、後頭部に五分ばかり気功をしたところ意識を回復し、すぐにリハーサルに復帰した。また亡き妻青木やよひが数十年前の農薬中毒に起因する大腸癌になった時、手術直後まだ麻酔が覚めないうちから患部に手をかざし、約一時間の気功を行ったが、意識が回復してからまったく痛みを感ずることなく、痛み止めの薬も断り、病室に巡回する医師たちを驚かせた。その後の患部の回復の早さにも驚嘆された。

ヨーガではほとんど常識である空中浮揚なども、このプラーナの驚くべき自己統御によって生ずる。すでに述べたように、アインシュタイン以後の重力概念によれば、重力とは時空のゆがみであり、気の流れは十分に時空のゆがみを引き起こす。それは目にみえないリアリティの作用といってもいい。なぜなら最新の宇宙理論によれば、重力のみがこの目にみえる宇宙のブレーン（膜）を超えて他の宇宙に到達することができるからである。

これがいわば他界の力なのだ。

自我の構造

他界の力またはこれら時空のゆがみを、少数の例外を別として、われわれ近代の人間が感ずることができないのはなぜだろうか。それは、非近代のひとびととわれわれ近代人の「自我の構造」が、決定的に異なっていることに由来する。

近代人の自我は、まずなによりも近代理性という武器に守られた「主観性」の透明な城郭にほかならない。そこから撃ってでる自己主張や、そのうえに築かれる自立性こそが個人の存在の証しとされる。近代個人主義や近代の人権概念のよりどころはそこにある。

だがこの主観性の透明な下部はきわめて不透明である。なぜならそこには無意識の層があり、近代社会に固有の抑圧に由来する非合理的で肥大した欲望、つまりフロイトのいうリビドー、かならずしも性的なものだけではない広義のリビドーがうごめいているからである。

近年の数々の心理学的実験が証しているように、ひとびとが理性的判断と信じているものの多くは、このリビドーから沸きあがる感情的判断をいわゆる理性が正当化し、合理化した判断にほかならない。近代固有のイデオロギーはこうしたメカニズムから生まれ、政治や宗教をめぐる近代社会固有の葛藤は、ウェーバーのいう《神々の戦い》、つまり情念に踊らされたこれら観念の戦いとなる。

戦後の日本では、教育を通じて主観性にもとづく近代の自立性や自己主張が教え込まれ、近代個人主義やその人権や自由の観念が人類にとって普遍的なものとされてきた。なぜなら戦前までは、わが国固有の伝統ではなく、いわゆる帝国主義列強に対抗する近代国家建設という明治近代化の要請によって徹底的にゆがめられた「伝統」が、第二次世界大戦の敗北にいたるまでわが国の知や教育を支配してきたからである。またそれは、残存する民衆の非近代的自我をたくみに操作しながらナショナリズム・イデオロギーに統合し、戦力の人間的源泉としてきた。

そのきびしい反省から、より徹底した近代化としての戦後民主主義は、大都市のいわゆる市民を中心として、近代的自我の構造を定着させたといえるだろう。しかしそれは他方では、古き良き伝統のなかに存在していた本来の非近代的で自在な自我の構造を消滅させたともいえる。では非近代的な自我の構造とはなにか。

たとえば非近代の個人主義である。すでに戦争に関連して触れたアメリカ・インディアンのラコタ族である。彼らは徹底した個人主義であり、たとえばかつて華やかであった部族間戦争で、戦士が昨夜の夢見が悪かったから出陣しないといっても寛容に許された。あるいはすべてが自己申告制であり、戦士に向かないとして男がベルダーシュになることもあたりまえとされた。ベルダーシュとは女装して生活し、儀礼のときには父なる天と母なる地の媒介者として重要な役割を果たすが、妻帯することも当然であった。

またメディスンマンの志願者は、荒野で断食し、修行や瞑想にふけり、そこで自己の守護霊と出会ったときメディスンマンになる資格をえるが、それも自己申告である。たとえ嘘をついてもだれにもわからないが、メディスンマンのきわめて重要な責任を担わなくてはならないことを知っている彼らは嘘とは無縁であるし、何度でも挫折を乗り越えて修行を志す。

こうした自我を形成しているのは主観性ではない。それは、それぞれの種族に固有の宇宙論や文化によって強固に構造化された無意識の領域、すなわちプラティークのうえに成立する自己意識である。ジャック・ラカン風にいえば、種族の宇宙論という「象徴的なもの」が真に「実在的なもの」であって、生きているレベルに投影される「想像的なもの」

も、欲望によって肥大化し、ゆがめられることはない。

生きているレベルが「実在的なもの」であって、それに投影される「想像的なもの」がつねに肥大した幻影または妄想となる近代の自我の構造とは、それはまったく異なっている。「象徴的なもの」を媒介とし、主観を消去することではじめて大文字の他者——他の人間を含む他の存在すべて——の理解にいたるとしたラカンの自我の分析は、非近代の自我の構造をも逆に照射している。

他界の力もしくは時空のゆがみを感じとり、宇宙や自然への畏敬の念をとりもどすことができるとすれば、それは脱近代文明を創造する新しい思考体系の基盤となるが、そのためにはわれわれは、非近代的な自我の自在で自由な構造を復活させなくてはならない。それがまた、近代理性を超える弁証法的理性形成の場をつくりだすことになるだろう。

隠されたリアリティの実在性

時空のゆがみである重力は不思議な性質をもっている。すなわちそれは、宇宙や天体といった超巨大なものからわれわれの日常にいたるまで、重力作用として影響をおよぼしているが、いわゆる素粒子のレベルでは姿を消し、さらに極限的な微小さに近いストリング（弦）のレベルでふたたび忽然と姿をあらわすからである。

つまり重力は現世を支配しているが、目にみえない極微小のレベルで姿をあらわすとともに、実はそのレベルを通じて重力のみが他界と行き来しているというのである。最先端の物理学が、いわば他界の実在性を保証していることになる。

この問題は次の章でくわしく述べるが、古代や「未開」のひとびとが身体的なもの、物質的なものとしても感じていた他界、あるいは隠されたリアリティは、概念や架空のものではなく、彼らの心身に直接影響をおよぼす実在性をもっていたことを、それによっていたかったからにほかならない。

彼らの創りだす芸術の魅力もそこにある。たとえば仏教芸術では仏像は一見リアルであるようにみえても、仏師たちは仏たちの現世の姿を描くのではなく、来世のまなざしに身を置きながら、隠されたリアリティとしてのその姿を最大限に表現しようとする。千手観音や不動明王などがきわめて幻想的でありながら、見るものにこのうえない「気」をあたえるのは、創るもののこの隠されたリアリティへの強い信念が、見るものへリアルに伝達されるからである。

「未開」の芸術も同じである。彼らの芸術が一見きわめて抽象的にみえるとしても、それは二十世紀の抽象芸術とは根本的に異なっている。後者にとって抽象性は表現の目的そのものであり、表現内容のいかんにかかわらずその根底にニヒリズムを秘めているが、前者にとって抽象性は、現世を超えた霊の世界が啓示するなにものかが、現世で目にするかたちとはおよそ異なっていることに由来する。

かたちだけではない。音でも同じだ。パプア・ニューギニアのイアトムル族では、大地半族の打ちならすスリット・ドラムは滝のとどろきを抽象的に模倣し、太陽半族の吹きならす笛の密集した不協和音は密林の奥から聴こえるハト科の鳥の鳴き声を抽象的に模している。だがそれらは、現世を超えて、母なる大地の奥深いひびき、父なる天の幽暗な声を告げているのであり、それらは彼らにとって現世よりも実在的なのだ。

他界とよばれる隠されたリアリティを心身によって感ずることができた古代人や「未開」のひとびとは、なんと幸せであったことだろう。なぜなら現世でどのような苦しみを味わったとしても、他界という来世が実在し、そこに行けば救われるという信念が彼らを支えていたからである。

グローバリズムがもたらした激烈きわまる競争社会に生きている現代人には、まったく救いはない。なぜなら目にみえる現世しか信じられない彼らにとっては、他界はたんなる概念にすぎないし、死は自己を含めたすべてのものの消滅にほかならないからである。出口がないという自己と社会のこの閉塞状況は、当然鬱病の蔓延をもたらし、自殺者を増大させる。ホピでは人を殺すことはもとより、自殺も「カ・ホピ！」（ホピではない！）という倫理違反であると述べたが、隠されたリアリティを信ずる彼らには自殺の理由などないし、事実いわゆる経済のレベルでは貧困な彼らではあるが、自殺は皆無である。

父なる天と母なる大地という空間的対称、および人生のサイクルにかかわる来世または他界と現世という時間的対称は、人間が一方的に大地と現世に属しているかぎり対称の破れのなかで生きていることになる。しかし気またはプラーナを媒介とする修行によってはじめてひとは、大宇宙という父なる天、および隠されたリアリティまたは他の宇宙としての来世あるいは他界に身体的・感性的に触れ、高次元での対称の回復つまり超対称を、全体的に認識できるようになる。これがモクシャすなわち解脱なのだ。

解脱にいたることができないとしても、われわれは古代や「未開」のひとびとのこの認識の王道を学び、それを体得することによって閉塞状況を打破し、袋小路に陥った近代文明のニヒリズムを克服することができるにちがいない。

第四章

新しい世界像の出現——脱近代のリアリティ

暗黒物質・暗黒エネルギー

すでに触れたが、われわれのこの目にみえる宇宙でさえも、全天に燦めく星々に表象されるわれわれに既知の物質は、宇宙の全質量のほぼ四パーセントを占めるにすぎない。残りの二三パーセントは「暗黒物質《ダーク・マター》」とよばれる未知の物質であり、さらに残りの七三パーセントは「暗黒エネルギー《ダーク・エナジー》」とよばれるこれも未知のエネルギーである。

「暗黒」という名称は誤解をまねく。なぜなら通常の暗黒は光を吸収して生ずるが、この物質は光を透過させ、既知の物質とはほとんどなんの相互作用も影響ももたないからである。だがすでに物理学的宇宙論の技術用語として定着しているから、われわれもその用語をもちいることにしよう。

しかしこうした物質やエネルギーがなぜ検知されるか。それは重力波によってである。いまではその分布さえも解明されている。しかも驚くべきことにそれは、この目にみえる宇宙に無数に存在する銀河の泡状の分布と重なり合っていることが明らかとなった。泡状というのは、多くの銀河クラスター（房状のつらなり）が、あたかも石鹸の泡のように、空洞を包む表面にのみ散在し、そのクラスターの泡が他の泡とつながりあうかたちで、この広大な宇宙空間を構成しているというのだ。暗黒物質は正確にこの泡状クラスターと重なり合っている。

ということは、暗黒物質や暗黒エネルギーはわれわれの天の川銀河やそのなかの太陽系、さらには地球、いいかえればわれわれをも取り巻き、われわれの身体にも存在していることになる。いったいそれらはなんであるのか。

この問いは、現在の天文学や天文物理学、あるいは量子物理学などの最大の課題のひとつとなっている。当然それを検出すべく、さまざまな検出装置が考案され、建設され、またすでに実験を開始している。さまざまな放射ノイズを遮断してキセノンやタングステンなどの化学物質に反応させようとするこれらの装置は、そのために鉱山の採掘跡など地下深くに建設されているが、現在まで検出には成功していない。

したがってそれらがなんであるか、依然として不明のままであるが、近年発見された他の謎にも深くかかわっているのではないかと推測されている。たとえばこの宇宙は、約一三七億五千万年まえにビッグ・バンを起こし、最初の一〇のマイナス三九乗秒時に光速を超えるインフレーションで膨張し、その後膨張速度が弱まっていったとされるが、現在それがまた徐々に加速されはじめていることが発見されたのだ。

既知の物質やエネルギーが加速を推進することはありえない。かつてアインシュタインは宇宙を静止させている力としての「宇宙定数」を提唱し、のちに宇宙が膨張しているというハッブルの発見をうけて撤回したが、これはむしろ膨張を加速する逆の宇宙定数であり、その力が暗黒物質やエネルギーにかかわっているのではないか、とする仮説に結びつく。

またあるひとびとは、これらが重力によってのみその存在が検知されていることから、この宇宙の四次元時空以外の時空つまり他界からブレーンをつらぬいてやってきているものではないかとさえ考えている。

ついでにいえばブレーンとは、後述するストリング理論の主要概念のひとつであり、多重世界のそれぞれをへだてるある種の「膜《メンブレーン》」であるとする。だがそれは、たしかに「膜」という単語から造語された術語ではあるが、誤解してはいけない。たとえばわれわれが二次元空間つまり平面に住んでいるとすれば、その世界と三次元空間とを隔てるブレーンはまさに「膜」であるが、もしわれわれが四次元空間に住んでいるとすれば、三次元空間全体がわれわれをへだてるブレーンとなるのだ。あらゆる物質やエネルギーは、その時空のブレーンを超えることはできない。つまりすべてはこのブレーンに閉じ込められている。しかし重力だけは別である。それはブレーンを超え、他の時空つまり他の世界に浸透あるいは移動可能なのだ。これが暗黒物質やエネルギーが他の時空つまり他界から来たものではないかとする仮説の根拠である。

機械論的宇宙像からひずみたわむ宇宙像へ

コペルニクスの発見からニュートンやライプニッツにいたる近代の宇宙像は、ニュートンの微積分による正確な軌道計算に表象されるように、動力学的で機械論的なものであった。別のいいかたをすれば、それは決定論的であり、時間に対しては可逆的である。現在を正確に計測できれば、それは過去にも未来にも適用され、宇宙は「時計仕掛けの神」——デカルトを批判するパスカルのことば——の意志にしたがって永遠に確実に動きつづける。

十九世紀の古典的合理論や経験論に反逆するロマン主義と期を一にして熱力学が登場し、「不可逆過程」とそれによるエントロピーの法則を発見し、この決定論的世界にいささか不気味な影をつくりだす。不可逆過程とは、卓上のカップのコーヒーを放置しておけばしだいに冷めていくように、熱はたえず拡散と冷却に向かい、新たな熱エネルギーを加えないかぎり、最終的な平衡状態にいたる、その逆の過程はありえない、というものである。熱力学的秩序がこのように、不可逆過程によって崩壊していくいわば変化の量または関数がエントロピーである。

この熱力学の第二法則が近代科学につきつけた問いは深刻なものであった。すべての事物やその動きが時間について可逆的であり、決定論的であるという古典的な機械論的宇宙像または世界像に対して、それははじめて申し立てられた異議であった。

宇宙は決定論的なものではなく、たえず時間に不可逆的な仕方でゆらぎ、変化していくものであり、その変化は統計的なものとしてしかとらえられないという熱力学の主張は、不安定性や非確実性という概念を古典科学にもちこむ。さらにのちに、たとえばはげしい流れや大気現象などのようにゆらぎが大きい場合、変数相互の関係が安定的という線形性も成立せず、変数相互の関係が大きく変化することによってまったく異なった相があらわれるという非線形性の問題が登場する。

しかもそれによって明らかとなったことは、自然現象は本質的に非線形であり、ただ物体や現象のゆらぎが微小な場合にのみ、線形方程式が適用可能となるということであった。それよりもゆらぎが大きい場合、線形方程式で解を求め、その解がどの程度近似しているかを調べる各種の摂動法が開発されはしたが、非線形現象を全体的に解明する数学的方法はいまのところ皆無であるといってよい。

このように宇宙や世界の見方について、古典的な動力学と熱力学は真っ向から対立する。近代科学にもちこまれたこの矛盾を、どう解決すべきか。

この深刻な矛盾は、だがもうひとつ別のより深刻な矛盾へと変換される。すなわち、化学的な分子のレベルでの現象を解析する熱力学に対して、二十世紀の初頭、それまで物質の最小単位と思われていた原子そのものを研究する物理学が登場した。それが量子力学である。

量子力学はその名のとおり、古典力学概念の延長から出発している。ただ異なっているのは、量子すなわち原子を構成している諸粒子のエネルギーの束《パケット》は、熱力学があつかう分子の束よりもはるかに微小な空間に存在するため、統計的というよりは確率的――つまり存在するかどうかを含めて起りうる可能性の量として――に計測するほかはないという点である。このことがただちに深刻な矛盾をもたらす。

すなわち、量子の状態は確率の波としてしか表現できないが、それを表す波動関数Ψは、古典力学の波動方程式に似たシュレーディンガーの偏微分方程式で示される。だがそれは同時に、確率論的な世界に展開する量子を、決定論的な偏微分方程式――ハミルトニアンを関数から演算子に書き換えているとしても――で記述可能なのかという矛盾である。

序論でも触れたが、波動関数の方程式を創りだしたシュレーディンガー自身、この矛盾を有名な「シュレーディンガーの猫」（正確には「量子力学の現状」一九三五年）論文で追求している。すなわち彼はある思考実験装置を考える。密閉した箱のなかに猫を閉じ込め、放射性原子が崩壊してガイガー検知器が鳴ったら、箱のなかのハンマーが青酸カリのカプセルを割るという機器を接続する装置である。

放射性原子崩壊の確率は五〇パーセントであるから、箱のなかの猫は、確率論的世界と決定論的世界、つまり微視的世界と巨視的世界とを重ね合わせた確率五〇パーセントの波動のなかにいる。つまり猫は生きながら同時に死んだ状態にあるというのだ。のちにユージン・ウィグナーは、この箱のなかの重ね合わせの状態がどんなものであったか猫では報告できないので、代わりに友人を入れようと、きついジョークを放った。

いずれにせよこのシュレーディンガーの猫の逆理または矛盾は、量子力学の出発点からして大問題であった。のちにコペンハーゲン学派と名づけられた量子力学の専門家集団を主導したニールス・ボーアは、デカルト的二元論に発する微視的世界と巨視的世界とを完全に分離する二元論を提唱し、それがコペンハーゲン解釈として二十世紀物理学の主流となるにいたった。

コペンハーゲン解釈をめぐって

微視的世界で起こる諸現象は、たんに確率の波としてしかとらえられないというだけではなく、巨視的世界の物理学的法則がいっさい通用しない異常なものであることが、やがて判明するにいたる。たとえば因果律である。

巨視的世界の因果律は古典的因果律ともよばれているが、かならず原因が先立ち、結果が後で起こるとされている。しかし微視的世界では古典的因果律は成立しない。なぜなら、波動関数の状態ベクトルAが確率として存在するとすれば、状態ベクトルBが生じうるという因果関係をあらわす数式は、その逆、つまり状態ベクトルBが存在するとすれば、状態ベクトルAが生じうるという複素共役の数式とひとしいことが証明されるからである。

いいかえればAという原因が確率としてありうるならばBという結果が生じる、という式が、Bという原因が確率としてありうるならばAという結果が生じる、という式とひとしいとすれば古典的因果律は崩壊してしまう。

因果律だけではない。微視的世界での粒子のふるまいは、想像を絶するものである。たとえばハイゼンベルクは、物体の位置と運動量を同時に計測できる巨視的世界と異なり、粒子の世界では、その位置を確定しようと計測すれば運動量は計測できず、その逆も成りたつという不確定性原理を発見したし、またファインマンは、原子核を構成するポジトロン――電荷がマイナスのプロトンに対して電荷がプラスの粒子――とは、実はしばしば時間の矢に逆行する電子であるという大胆な仮説を提唱した。時間に逆行する粒子がありうるとは！　それほど粒子のふるまいは異常なのだ。

ボーアは、こうした微視的世界をわれわれの住んでいる巨視的世界から完全に分離し、二つの世界は相互に相補性《コンプレメンタリティ》の関係にあるとした。一方は確率の波が乱れあう絶えざる力学的変動の世界であり、他方は決定論的な法則に支配される力学的安定の世界であるが、二つの世界は相互にその存在を必要としているのであり、局所性（ローカルなもの）と大域性（グローバルなもの）として補いあっているのだ、と。

だがこの相補性は、不確定性原理のような科学的原理ではなく、たんなる概念にすぎない。シュレーディンガーの猫は、不確定で確率的な粒子の世界を巨視的世界に住む観測者が測定しようとすると、波動関数は崩壊し、決定論的な測定に還元されてしまうことを教えている。シュレーディンガーの「猫論文」は、この絶対的な矛盾または逆理を指摘し、相補性概念ではそれを解決できないことを示しているのだ。

シュレーディンガーだけではない。コペンハーゲン解釈の二元論に反対し、宇宙を統一的な一元論的理論によって解明することを志していたアインシュタインも、ナチズムを逃れてアメリカに亡命し、プリンストン大学に迎えられたとき、その助手であるポドルスキーとローゼンと共同で、その二元論の矛盾を突く論文「物理学的リアリティの量子力学的記述は完全でありうるか？」（通称ＥＰＲ論文　一九三五年）を発表した。当時それはコペンハーゲン解釈を信奉する量子力学主流派からは無視されたが、むしろ後世に大きな影響をおよぼすにいたった。

シュレーディンガーやアインシュタインをはじめとする統一理論は、コペンハーゲン解釈を信奉するひとびとによって「隠された変数」派とよばれた。なぜなら彼らは、微視的世界に隠されているはずの諸変数を発見できれば、量子力学は重力——一般相対性理論の核心――を含む巨視的世界との統一理論に吸収されるにちがいないと主張していたからである。そこでのもっとも重要な「隠された変数」は重力であった。

原子核を構成するプロトンのような重い粒子《ハドロン》や電子のような軽い粒子《レプトン》は一〇のマイナス一二乗センチメートルからマイナス一八乗センチメートル程度の微小空間を占めるが、空間のこのレベルでは重力はほとんどゼロであり、記述できない。物理学でいう四つの力、すなわち重力、電磁力、原子核の結合に作用する強い力、原子の放射性崩壊に作用する弱い力のうち、量子力学はこの後の三つの力しか記述しない。アインシュタインの相対性理論は、いわばそこから排除されるのだ。それは大きな問題であるが、コペンハーゲン解釈からすれば、微視的世界は巨視的世界とまったく異なるという二元論の根拠でもあった。

コペンハーゲン解釈の制覇と没落

その後、高名な数学者フォン・ノイマンが、量子力学において隠された変数は存在しないことを数学的に証明――のちにジョン・スチュワート・ベルがその誤りを証明するが――して以来、「隠された変数」派は衰退の一途をたどる。アインシュタインはもはや過去のひととなり、巨視的世界を支配する相対性理論と量子力学とはまったく無縁の物理学であるという認識が一般的となった。

コペンハーゲン解釈の制覇のうえに、粒子の機能の追求や精密な分類がはじまり、「標準モデル」または「標準理論」として一応の完成をみるにいたった。粒子を衝突させてその結果を計測する大規模な加速器や衝突機が建設され、それらの実験により標準理論の大部分が実証され、その理論の正しさが証明されたとして「標準理論」も物理学界を制覇するにいたった。

だがコペンハーゲン解釈への異議申し立ては、若い世代にも引き継がれていく。オッペンハイマーの弟子としてマンハッタン計画にも関与し、学生時代アメリカ共産党運動に加担したとして戦後悪名高いジョゼフ・マッカーシーの「非米活動委員会」に召喚され、ほとんど追放されるようなかたちでブラジルにわたったデーヴィッド・ボームは、シュレーディンガーやＥＰＲ論文に刺激され、自著をもって訪れたアインシュタインにも励まされ、「《隠された変数》術語にもとづく量子力学のある示唆的解釈」その一・その二の二つの論文でコペンハーゲン解釈に果敢に戦いをいどむ。彼が着目したのはシュレーディンガーやＥＰＲが指摘していた《量子のもつれ《クオンタム・エンタングルメント》》という現象であった。つまり粒子の世界では本来すべてが対称性をおびていて量子も例外ではないが、ペアとなる量子はつねにどのような状況でも、またどのような距離にあっても絆をもち、もつれているようにみえる、というものである。

ボームはこのもつれ現象に着目し、それが微視的世界に閉じ込められた局所的な現象ではなく、大域的なものであることを証明し、コペンハーゲン解釈に一撃をあたえた。なぜならその解釈では、すべての粒子は独立した点（ゼロ次元）であり、相互作用をするが、それは局所的であるとしてきたからである。粒子の非局所性と非独立性（もつれ）の発見と証明は、その根拠を決定的にゆるがす。

ジョン・スチュワート・ベルは、ベルの定理またはベルの不等式とよばれる数式によってそれを精密に定義しなおし、あまつさえ、すでに指摘したように、フォン・ノイマンの「隠された変数の不可能性」証明の誤りさえ証明してしまった。

コペンハーゲン解釈に疑問を抱き、そのため主流派の支配する正統なアカデミーから排除されていた一群の若手研究者や実験家たちが、これらの理論を証明する一連の実験を手作りで開始する（巨額の投資を必要とする加速器など標準理論の大規模実験に対してなんという皮肉！）。光子管の中央でカルシウムなどの素材を熱し、光に相転移させ、光子管の一端にレーザー・ビームをあてて発色させれば、まったく無関係の反対側の光子管の同じ位置が発色する、といった素朴な実験である。だがたとえ宇宙空間に達するような長い光子管を作製したとしても結果は同じであり、微視的世界の量子のもつれが、巨視的世界に出現するという、もつれの実在性とその非局所性をみごとに示したのだ。

それだけではない。量子aのこの相互のもつれは量子bのもつれとさらに反応してもつれを起こし、この量子系そのものの全体的なもつれを引き起こし、といった具合でいわば世界は量子のもつれから生成されているといっても過言でないこともあきらかとなってきた。

粒子の独立性と局所性という概念の崩壊だけではない。コペンハーゲン解釈の根底をなす微視的世界と巨視的世界の絶対的な二元論さえも音をたてて崩壊しはじめる。

多重世界の出現

思考の世界と身体または物質の世界とを絶対的に分離するデカルト的二元論に並列するコペンハーゲン二元論は、シュレーディンガーの猫に象徴される絶対的な矛盾または逆理を内包していた。多くの物理学者にとってもこの矛盾はかなり耐えがたいものであった。猫の代わりにその箱に友人を入れようとジョークを放ったユージン・ウィグナーは、この哲学的難問にいわば超《ウルトラ》主観主義で答えることにした。つまり彼によれば、微視的世界の波動関数が巨視的世界とその観測者によって崩壊するのは、観測者の主観性または意識のなかで起こるできごとにすぎないとした。極言すれば宇宙の存在そのものも、人間の主観性が造りだしたものだというのだ。したがってそこでは、主観性の内部以外にリアリティを追求する必要はないということになる。

すでに指摘したがボーアの哲学的立場も同じである。彼は「量子世界などというものは存在しない。存在するのは量子力学の抽象的記述だけである」と言明したが、これはヴィトゲンシュタインの提唱した論理実証主義そのものといえる。つまり言語によって正確かつ合理的に記述できるもののみが、人間にとって唯一のリアリティであるとするものである。ただヴィトゲンシュタイン自身は、有名な『論理哲学論考』の格言的な結びのことば、「語りうるものは明晰に語れ、残余は沈黙のみ」で示唆したように、カントのモノ自体同様、残された広大な沈黙の領域にも別のリアリティがあると認識していたのであるが。

だが量子力学においても、還元された状態ベクトルや諸粒子の機能などの明晰な記述の外に、いわばとり残された広大な沈黙の領域が大問題となる。この一見もつれきった不条理な世界は、いったいなんであるのか。

一九五七年、プリンストンの大学院生であったヒュー・エヴェレット三世は、この明晰に記述できない沈黙の領域についてのきわめて明晰な記述を、博士論文として発表した。すなわちそれによれば、状態ベクトルの還元または波動関数の崩壊など存在しない。宇宙はこの沈黙の領域を含めた唯一のリアリティであり、このリアリティをつらぬく物理法則は、微視的世界のいわゆる異常な法則であって、巨視的世界もそれにつらぬかれている。ただわれわれの見ている世界が決定論的にみえるのは、量子力学の記述のためのたんなる数学的道具と思われている無限次元のヒルベルト空間がこのリアリティの表現にほかならず、したがって世界は無限次元の宇宙の重ね合わせからなり、それらが交互に直交しているからである。直交するベクトルは0であるように、互いに直交する諸宇宙が決定論的様相を生みだすのだ、と。

このいわば奇想天外な論文は、マス・メディアの取りあげるところとなり、この量子力学の「多重世界解釈」はひととき一般の知的世界をにぎわわせた。だがコペンハーゲン解釈派の強固な砦はゆるがず、それは考えられない解であるとして完全に黙殺されるにいたった。エヴェレットは理論物理学をあきらめ、失意のうちに国防総省に就職し、多重世界解釈の復権をみることなく、若くして死ぬ。

多重世界解釈は、エヴェレットの論文とともに書庫の暗闇に長い期間眠ることとなる。コペンハーゲン解釈とそれによる標準理論は、二十世紀の後半にいたるまで核物理学のもっとも陽のあたる王道とみなされる。ノーベル物理学賞も、たとえすぐれた業績をあげても、この道をはずれたものにはあたえられなくなる。

だが一九七〇年代の初頭、加速器のなかのハドロンの異常なふるまいの説明がつかず、ヴェネツィアーノが特異なモデルを提唱する。つまり加速器内の衝突で一対の粒子A／Bは瞬時に別の一対の粒子C／Dに変換されて飛散するが、その変換の仕方が一様ではなく、はてしなく多様なのだ。ヴェネツィアーノによれば、ハドロンを構成する粒子は相互に共鳴しあい、振動する量子であると主張した。少し遅れて南部陽一郎は、それは粒子ではなく、相互に結ばれたストリング（弦）ではないかという画期的な解釈を示した。つまり弦であれば、一対の粒子の変換の仕方がいかに多様であり、ねじれていても位相的に同一であるからだ（だが彼はこの業績で後年ノーベル賞を受賞したわけではない。あくまで標準理論における対称性の自発的破れの研究によってである）。

超弦理論の登場

一九七〇年代の終わり、マイケル・グリーンとジョン・シュウォーツは、これらの解釈を精密に追求し、ハドロンだけではなく、すべての粒子は実は、粒子よりも微小な時空に存在するストリング（弦）であり、粒子とされてきたものはこのストリングの多様な振動のあらわれにほかならないという画期的な理論を提唱した。

粒子の存在するレベルは、ハドロンからレプトンにわたって一〇のマイナス一二乗から一八乗センチメートル程度であるが、ストリングはプランクの長さといわれる一〇のマイナス三三乗センチメートルという極微小時空にある（それを超えると時空は崩壊するといわれている）。しかもそれは点（ゼロ次元）ではなく、ストリングであるから少なくとも一次元以上の位相構造をもち、さらに一〇次元または一一次元の時空を必要とするとされる。

この理論は超弦理論またはひろくストリング理論とよばれるが、この「量子論の革命」はしかしながら、伝統的な物理学の枠組みを大きく超えることで、その思考体系に大きな試練と困難を課すこととなった。

すなわちひとつは、物理学において絶対的な命題であった実験による実証が不可能となったことである。プランクの長さにある物質を破壊するためには、従来の加速器や衝突機のエネルギーとは比較にならない一〇の一九乗ギガ（一〇億）電子ボルトというとてつもないプランク・エネルギーを必要とするからである。たとえ太陽系を一周する衝突機を造ったところで、とうていそのエネルギーの出力は不可能である。

そのためストリング理論の反対派は、これは「物理学《フィジックス》の終焉」であり、ストリング理論はたんなる解釈という形而上学《メタフィジックス》にすぎない、と断罪した。

もうひとつは、一〇次元または一一次元という多次元の超空間《ハイパースペース》が要求されることである。若干の研究者たちは、これら多次元も無限次元のコンパクト化であるかもしれないと主張している。つまりエヴェレットの多重世界解釈の復権である。

カルーザとクラインが、アインシュタインの方程式に一次元を付加して重力と電磁力との統一理論を打ち立てたように、あるいはフェルミオンとボソンという異なった性質によって分類される粒子の対称の破れを回復するために、四次元に倍する多次元を付加することによって超対称《スーパーシンメトリー》をとりもどさせたように、伝統的な物理学では、多次元や無限次元はたんなる数学上の手段あるいは約束にすぎなかった。だがここであらたに出現した多重世界解釈は、それを物質が存在するリアリティとみなすのだ。多重世界解釈に抗するひとたちにとって、これもまたたんなる解釈という形而上学にすぎないと反対の大合唱を繰りひろげた。

だが実験不可能であるとしても、それらは厳密な数学的手続きによって証明されている。ただシュレーディンガーの偏微分方程式に表象されている従来の力学的記述にくわえ、ストリングの位相構造が必然的に要求するように、ここでは古典力学や量子力学とはまったく無縁の存在であると考えられてきた位相数学をはじめとする抽象数学――粒子の対称性の発見以来、対称性をあつかう群論は古くから使われてきた――が、にわかに主役を演じはじめる。

いずれにせよ、ストリング理論とそれが必要とする超空間は、ボーアのいう相補性にもとづくコペンハーゲン解釈を覆しただけではなく、近代科学が根拠としてきたデカルト的二元論をも覆すものであった。なぜならそれは、微視的世界と巨視的世界との同一性にもとづく一元論であるとともに、いわゆる客観性にもとづき物質的世界のみを探求するとされてきた自然科学を、哲学的思考や存在論と不可分な脱近代科学へと変換させる大きな歩みだからである。いいかえればそれは、まさに形而上学《メタフィジックス》をも包含する超物理学（メタ＝フィジックス）にほかならない。

ブレーンと重力

量子論としてのストリング理論のもう一つの理論的力は、物理学でいう四つの力、すなわち重力、電磁力、強い力、弱い力のすべてを記述可能にし、アインシュタインが夢見ていた統一理論の樹立に大きく一歩近づいたことである。量子力学では記述できなかった重力が、多次元超空間のストリングではなぜ可能になったか。それは重力の特異な性質によっている。それはストリング理論の提唱するブレーン概念と不可分である。

すでにたびたび触れたが、ブレーンとは、メンブレーン（膜）からのテクニカルな造語であり、多重世界それぞれを隔てるいわば膜であるとされる。いわば粒子という仮の姿をしてそのなかに隠されているストリングには、両端がいわば切断されて開いたものと、ループ状に閉じたものとがあるが、開いたストリングはこのブレーンの外に出ることはできない。つまりそれが担う質量やエネルギーはひとつのブレーン宇宙から脱出することはできないのだ。

だが閉じたストリングは違う。それはブレーンを超えて移動可能である。それが重力にほかならない。したがって重力のみは、たとえばわれわれのこの三次元空間を超えて四次元空間や他の世界に移動することができる。ストリング理論の実験は不可能といったが、たとえばLHC（大ハドロン衝突機）で、陽子《プロトン》の衝突時に瞬時に重力のみがたんに飛散したのではなく失われたことが検出できれば、ストリング理論の正しさのごく一端が実証されることになる。

一部からこれぞ二十一世紀の物理学ともてはやされるストリング理論も、しかしながら多くの困難に直面している。ひとつは理論を全面的に展開するには、位相数学や他の抽象数学、あるいはそれらを統合する数学的用具が不足していることでもあるが、他方たとえば超空間をどのように考えるか——われわれの三次元空間を超える次元空間は微小空間に巻き込まれている、いや重ね合わせの状態にある、いやたわんだ形で接続しているなど——といった思考の仕方の違いなどによって、いくつものストリング理論が出現しているからである。それらを統合するというエドワード・ウィッテンのM理論——マスターの頭文字であるが、批判者はミステリーの頭文字だと皮肉る——が提唱されているが、成果は未知数である。

さまざまな困難に直面しているにせよストリング理論は、多重世界解釈を復権させただけではなく、三つの力しか記述できない標準理論を超え、四つの力を統合的に記述する最終的な統一理論への展望を切りひらいた点で、画期的というよりも革命的なものであった。

それは物理学にとって革命的であるだけではない。すでに述べたように、形而上学や宗教的信仰を主観性の問題として括弧に入れ、この目にみえる世界のみを客観性をもつ唯一のリアリティとする、中世末期以来のアリストテレス主義にもとづく科学そのものにとっても革命的であったのだ。

むしろそれは、超空間を自由に飛翔し、まったく目にみえない暗黒物質や暗黒エネルギーからも波動を寄せる重力に象徴される未知のリアリティあるいは隠されたリアリティからの使信、いいかえれば他界またはイデアの世界からの使信の解読が、われわれの宇宙解明の鍵になると考える点で、真正のプラトン主義の復権といえるかもしれない。

数学の存在論

いわゆる自然科学のみならず人間科学を含め、すべての科学の基底である数学そのものが、二十世紀以来すでにこの革命を推進していた。いうまでもなく抽象数学である。すなわち数値や量といったこの目にみえるリアリティをいわば離陸し、具体的なものであれ抽象的なものであれ、諸事物や諸現象のさまざまな関係のあり方を純粋に論理的に追求する数学である。

数学史をさかのぼればそれは、十九世紀初頭のガロアによる群論の発見や、同後半のクラインの「エアランゲン・プログラム」にまでいたるが、ひとつの新しい数学的思考体系として完成されたのは二十世紀である。ブルバキという名称のもとに結集したフランスの数学者集団が、その思考体系を『数学原論』という大著にまとめた。

それは「集合の言語」という名にも表象されるが、具体的であれ抽象的であれなんらかの元（要素）の集合を考え、それらの元や集合相互がどのような関係で結ばれているか、をさまざまなレベルやさまざまな形態で追求するものである。諸元の関係に作用する規則性があればそれは「構造」とよばれ、たとえば代数であれば、その構造のあり方によって群や環あるいは体など異なったかたちをとる。群と群との関係などより上位のレベルでは、それに応じてカテゴリー（圏）論などが設定される。代数だけではない。位相（幾何学）、順序などそれぞれの領域の諸構造が追及され、また代数構造と幾何学構造とが変換という概念を通じて同形つまり同一のパターンをもつことが探求されたりする。

この数学的思考体系の新しい点は、なによりも集合という概念を手がかりとして、多様で多層的な数学的宇宙ともいうべき広大な世界を切りひらいたことである。いわば純粋な数学的プラトン世界を創造したということができるだろう。だが重要なことは、それは数学者たちの頭脳のなかにだけ存在するものではないことである。つまりそれ自体がひとつのリアリティなのだ。

たとえばすでにストリング理論でみたように、ゼロ次元の点としてあつかわれた粒子と異なり、少なくとも一次元以上――一〇次元時空であれば空間九次元――の位相構造をもつストリングには、その構造を解明する位相数学が必要となり、もしその位相が正しいものであれば、まさにそれは隠されたリアリティの記述にほかならないことになる。つまり抽象数学は、他界もしくはプラトン的リアリティの表現となる。

あるいはマンデルブロが発見した「マンデルブロ集合」である。任意の複素数の二乗（初期値ゼロ）に定数としての複素数を足すという単純な変換式から出発し、そこでえられた結果を前者に無限に代入する。複素数を構成する実数に任意の値を入れ、その計算結果を虚数軸と実数軸を座標とするガウス＝アルガン平面に投影すれば、あの膨大にして奇怪なマンデルブロ集合が電子計算機の画面に出現する。ひとつの画像の図形の細部を拡大すれば、同じパターンの画像図形が出現し、さらにその細部を拡大すれば、と無限につづくことになる。しかも興味深いことに、それぞれパターンは同一であるが図形の形象は微妙に異なり、同じものはひとつもないことである。

これは純粋に抽象的な数学的遊び、いわばプラトン的遊びといえるが、このフラクタルとよばれる構造とその現象は、この目にみえる自然界の現象そのものにほかならない。たとえばカエデの葉はクヌギの葉とパターンはまったく異なっているが、同一の大きさや完全に細部まで同一の葉はひとつもない。あるいは複雑な海岸線で、湾や入り江のパターンはいくつかに分類することができるが、同一の形象はまったくありえない。

また逆に、すでに熱力学の問題で少し触れたが、大気現象や乱流など、自然界に展開する揺らぎの大きい非線形現象が、一見乱れに乱れて崩壊するようにみえながら、ある種の時間的経過にしたがって秩序を生みだし、規則化されるというカオスとよばれる構造が明らかにされるにいたった。これはフラクタルと表裏の関係にあるが、これらの数学は、この目にみえる世界にさえも、ある種の隠されたリアリティがあることを明らかにしたといえよう。

だがこの抽象数学と目にみえる世界との対応は、自然数や実数あるいは微積分に表象されるような一対一のリアルな対応ではない。パターンという用語で示されたように、抽象的概念と実体的概念との対応であり、いわばプラトン的世界からアリストテレス的世界を照射したものにほかならない。

数学史でいえば、数学を純粋にプラトン的世界と規定したヒルベルトの形式主義と、アリストテレス的世界との不可分性を主張した広義の直観主義との対立が長期にわたってつづいたが、これはある意味で形式主義の勝利を示しているといえよう。ある公理系の真偽または無矛盾性はその公理系自体によっては証明できないことを明らかにしたゲーデルの不完全性定理は、たしかに形式主義のある側面——近代理性の過信——を粉砕はしたが、プラトン的世界のリアリティを否定したわけではけっしてなかった。むしろ不完全性定理を含め、超数学《メタマセマティックス》全体が、数学の存在論そのものを問うことによって、それがプラトン的リアリティの一元論に依拠していることを明らかにしたといってもよい。

散逸構造

しかしまだ大きな問題が残っている。時間の矢と、熱力学が導入したエントロピー、つまり時間の矢に沿って秩序は必ず無秩序へと崩壊する、あるいは熱非平衡状態は必ず熱平衡状態に移行するという問題である。

時間の矢に沿って展開する非線形現象が、再帰的に規則性を示し、ある種の構造性をもつというカオス論は、むずかしいいい方になるが、確率論的偶然性が時間を媒介として決定論的必然性に結びつくことを示した。こうした構造をもつ自然現象を複雑性または複雑系というが、むしろ自然現象のほとんどは複雑系であるといえる。

複雑系の解明にプリゴジンは「散逸構造《ディッシパティヴ・ストラクチャー》」という概念を導入し、ひとつの突破口をうがった。つまり可逆的な動力学（量子力学もここに含まれる）と不可逆的な熱力学とを結びつけようというこころみである。

テクニカルな詳細を避けて結論的にいえば、時間に可逆的な動力学に時間の矢に沿う非線形性を導入し、時間に不可逆的な熱力学にときには可逆的となる内部時間という概念を導入することで両者を結びつけようというものである。

内部時間とはなにか。フラクタル論ですでに触れたカエデの葉を思い起こしてほしい。一本のカエデの数多くの葉が、すべて同形ではあるが細部は異なっているのは、それらが生育したそれぞれの生命の歴史《ライフ・ヒストリー》を示している。あるいは天文学的な数の雪の結晶は、いくつかの同じパターンをもっているが、細部はすべて異なる。それは結晶として生成する時間的経過のなかでの気象条件の微細な差異を表現している。つまり前者はカエデの葉の内部時間であり、後者は雪の結晶の内部時間である。

葉や結晶ができあがった瞬間、それらの内部時間は読み取り可能となる。つまり過去にさかのぼりうる、あるいは時間に可逆的となるのだ。生命——これは時間の矢に沿って秩序が増大する、つまりエントロピーが逆となるが——や気象といった熱力学的現象が、動力学的に解読しうることになる。

プリゴジン自身も散逸構造の具体的例に音楽をあげているが、音楽を例に散逸構造を理解してみよう。

たとえばベートーヴェンのあるピアノ・ソナタを聴くとしよう。音は物理学的現象として時間の矢に沿って空間に散逸し、消滅していくが、聴くものにとってそれらは、記憶として脳に刻まれ、しかもその脳は主題の回帰などを認識し、それが呼び起こす感性的な躍動や意味さえもとらえる。聴くものによって認識の仕方が異なってくるが、これがベートーヴェンのソナタという共通の構造が呼び起こすそれぞれの内部時間なのだ。雪の結晶とは逆または対称的といえるが、時間の矢に沿って空間に散逸した音が、ひとそれぞれの内部時間として再帰するだけではなく、それを媒体としてひとつの共通の構造をかたちづくる。これが散逸構造である。

楽譜は、散逸する音を記号として保存し、外部に記憶化したものであり、そこで読みとることのできる楽曲の構造自体が、飛散する音をいわば「量子のもつれ」によってつなぐ散逸構造にほかならない。

散逸構造としての生命体

一本のカエデの一枚一枚の葉がそれぞれの生命の歴史つまり内部時間を語っているのをみてもわかるように、生命体は複雑系であると同時に散逸構造である。人間でいえば、人体を構成する天文学的な数の細胞は、日々散逸するとともに新しく生成し、人体の構造、さらには上位のレベルの人間の構造を保存していく。時間の矢に沿っていえば、生命体は熱平衡状態から非平衡状態を、無秩序から秩序を造りだしていくエントロピーの法則に逆行する存在、つまり反《ネガ》エントロピー存在である。

「上位のレベルの人間の構造」といういい方は、奇異の感をあたえるかもしれない。だがそれは、物質としての「身体の構造」があり、またそれを統御する意識・無意識の「思考の構造」があるが、相互作用をする両者の不可分の関係が「上位のレベルの人間の構造」であるという一元論を指している。

それを強調したのは、生物学を中心とする従来の生命科学が、デカルト的二元論の枠組みに囚われ、生命体を物質の側面からのみ追求し、たとえ遺伝情報のみによって行動している生命体であろうと、物質を制御する思考の側面とその構造性をほとんど無視してきたからである。

「遺伝情報のみの生命体の思考の側面」などといういい方は、いっそう奇異にひびくだろう。しかし最新の微生物科学があきらかにしているように、たとえば遺伝子とタンパク質のみで構成されたウイルスといえども、その遺伝子と侵入先の宿主との、ときには攻撃的であり、ときには協調的である巧妙な対応の仕方をみると、遺伝情報にしたがって行動するそのパターンは、素粒子のような純粋な物質的反応ではなく、明らかに情報の出力にしたがう軌跡として思考のレベルを示しているというほかはない。

しかも重要なのは、ウイルスやバクテリアなどの微生物は、ときには病原菌などとして侵入した宿主に致死的な害をあたえるにもかかわらず、長期にわたる過程では宿主と共存するだけではなく、みずからも変異しながら宿主の進化をうながし、進化論的な「共生《シンバイオシス》」の構造を造りあげることである。

たとえば哺乳類の妊娠である。哺乳類は進化の過程で、卵生から胎生へと変異した。機械論的観点からすれば、卵生の方が胎生よりはるかに合理的であり、単純である。複雑化していく最新の量子的宇宙論と同じく、近代的合理性の要請に反して、生物も単純で合理的なものから、複雑でいわば非合理的なものへと進化する。

その問題はさておき、この哺乳類の妊娠、とりわけヒトの妊娠の機構から進化によって生まれた共生の構造をあきらかにしてみよう。

ヒトの妊娠時、受精卵の細胞核には母親と父親の遺伝子が半々に含まれる。父親の遺伝子は母胎にとっては異物であるから、免疫機構がただちに働いてマクロファージを放出し、受精卵を殺し、体外に排除するはずである。だがそうはならない。なぜなら、受精卵が子宮に着床するやいなや、母胎に宿るＨＩＶウイルスが受精卵を膜状に包み、免疫機構の発動を阻止するからである。

ＨＩＶウイルスはレトロ・ウイルスとよばれる種に属しているが、通常のウイルスが宿主から酵素を奪うのに対して、逆に酵素を転写して排出し、宿主に免疫不全を引き起こすところからその名称をもつ。いうまでもなくＨＩＶ1と命名されたウイルスは、類人猿から感染したとされているが、ヒトの免疫不全症、つまりエイズを発症させる恐るべきウイルスとして知られている。その同種のレトロ・ウイルスがヒトの母胎に宿り、長期にわたり共生してきたのだ。

研究はまだそこまで進んでいないが、哺乳類の卵生から胎生への進化をうながした原動力が、このＨＩＶウイルスであることは十分考えられる。

もうひとつ例をあげよう。ヒトを構成する天文学的な数の細胞の細胞質には、ミトコンドリアというバクテリアが宿っている。それは本来、恐るべき猛威をふるう発疹チフス菌の種に属している。わが国でも敗戦直前から直後にかけてシラミが媒介する発疹チフスが流行し、猛威をふるった。アメリカ占領軍が強制的に全住民にシラミ駆除のＤＤＴ散布を行ったが、同行する東京都衛生局の自動車の横に、シューベルトの肖像画が印刷されたポスターが貼られ、「楽聖シューベルトも発疹チフスで死にました。蔓延を防ぐためDDT散布に御協力下さい」と書かれていた。

それは余談だが、それと同種のバクテリアであるミトコンドリアも、体内に侵入したときは猛威をふるったにちがいない。だが数百万年にわたる共生と進化の過程をへて、いまやヒトの生命や生活に不可欠のバクテリアとなったのだ。なぜなら肺から吸収され赤血球によって運ばれるわれわれの活動源でありエネルギー源である酸素を、ミトコンドリアが貯蔵し、必要に応じて排出し、また老化した細胞に自死をうながし、代謝を活発にするからである。通常の思考活動でも脳は、身体全体が消費する酸素の燃焼エネルギーの約二〇パーセントを消費しているが、もし体内にミトコンドリアが存在していなかったなら、長い持続的な脳の活動はありえず、人間の言語も文化も創造しえなかったかもしれない。

ピョートル・クロポトキンと社会ダーウィン主義

しかし共生の概念は、微生物科学の最近の発展によってもたらされたものではない。十九世紀には、すでに先駆的な研究があり、それにもとづく人間の「社会的共生」の主張が存在していた。序論でも触れたが、一群の学者の真菌類の研究によって発見された生物学的な「共生進化」に依拠して、当時の支配的な生物学的イデオロギーとしての社会ダーウィン主義と戦ったピョートル・クロポトキンである（ロシアの名門侯爵家の生まれで、日露戦争を指揮した将軍はその一族である）。

植物の根には無数の菌糸類が「寄生」し、宿主から栄養を奪いながら生育していることが、古くから観察されていた。しかし一九八〇年代、プロイセン政府からトリュッフの栽培がドイツでも可能かと委嘱された研究で、アルベルト・ベルンハルト・フランクは、植物の根と菌糸類の関係は、寄生といった一方的なものではなく、植物の根が吸収しにくい栄養素を菌糸類が吸収し、逆に宿主にあたえているという共生関係であることを発見した。彼はこの現象を「共生主義《シンビオティスムス》」と命名し、植物の世界ではかなり普遍的であることを論じた。

先駆者の発見や主張がつねにそうであるようにそれは、ダーウィンの進化論を、競争にもとづく「適者生存」などとイデオロギー化した当時のダーウィン主義者たちの猛攻撃に会い、ほとんどかえりみられることがなかった。だがかつて実際にシベリアで植物や動物の観察や研究を行ってきた自然科学者クロポトキンは、当時無政府主義者としての追及を逃れてイギリスに亡命していたが、これらの発見や主張に共鳴し、動植物だけではなく、かつてルソーが主張したように、ヒトも生物として他の生物と共生の関係にあるだけではなく、人間社会も相互の共生にもとづく社会であるべきだとして、『相互扶助《ミューチュアル・エイド》』（一九〇二年）を表し、無政府主義に生物学的根拠をあたえるにいたった。この本は世界的に大きな反響をよび、わが国でも二葉亭四迷や堺利彦、あるいは宮沢賢治などに深い影響をあたえた。

それだけではなく彼は、当時知的世界を風靡していたハーバート・スペンサーやT・H・ハクスリーたちの社会ダーウィン主義または社会進化論と激しい論争を繰りひろげた。社会ダーウィン主義とは、ハクスリーの造語した「適者生存《サヴァイヴァル・オヴ・ザ・フィッテスト》」に象徴されるように、生物の弱肉強食的な競争のなかで、その競争にもっとも適合した種のみが生き残るという進化論の解釈にもとづき、人間社会もこの進化の原則のもとにあるとして、帝国主義の「弱小種族」の植民地的征服や、資本主義的競争による強者の制覇やそれによる富の蓄積を正当化するイデオロギーであった。

それだけではない。社会ダーウィン主義はヒトという種の継承も「適者」優先であるべきだとし、妊娠や出産の選別を行うべきだとする優生学を生みだす。二十世紀初頭からはじまる優生学は、悪名高いナチス優生学に継承され、純粋アーリア系の「適者」を選別すべきだと、知的・身体的障害者を差別し、隔離し、時には殺戮し、またユダヤ人という「非適者」を強制収容所に送り込み、六百万人を虐殺するにいたったことは周知のとおりである。

この恐るべき社会ダーウィン主義に対して、むしろダーウィン本来の進化論を評価していたクロポトキンは、それを進化論の歪曲であるとし、生物学的存在であり、社会的動物であるヒトが本来もっている生物学的共生の原理を現在の社会に復権させるべきだと、資本主義的競争社会やそのイデオロギーとしての社会ダーウィン主義を徹底的に批判したのだ（ただしダーウィンの『人間の出自と性関係の選択』一八七一年には、社会ダーウィン主義を導きだすような言説がみられる）。

分子生物学と新ダーウィン主義

だがフランクやクロポトキンのような先駆的業績にもかかわらず、生物学的進化論は、二十世紀には広義のダーウィン主義と名づけるべき解釈に統一され、生物学界に圧倒的な支配力をふるうにいたる。量子論におけるコペンハーゲン解釈の支配と並行するものといってよい。

この広義のダーウィン主義は、ダーウィンの進化論の基本概念にメンデルの遺伝学を接続し、矛盾のないように統合したものといえる。

ダーウィンの進化論の基本概念は、(1)全生物はひとつの共通の祖先からの進化である、(2)進化は自然選択により段階的に行われる、(3)自然選択は自然環境への適応と生存競争により生ずる、に要約できる。さらにその後発見されたメンデルの遺伝学にもとづき、進化の中心に遺伝概念がおかれ、(四)遺伝の偶発的な突然変異が進化をうながす、が加わることになった。

進化論の解釈としてのこの広義のダーウィン主義が成立してのち、二十世紀の後半にワトソンとクリックによるDNA・RNAの構造の発見が分子生物学を進展させることとなった。それは生物学に革命的なパラダイム・シフトをもたらし、まさに物理学における量子力学の登場と軌を一にするものであった。

たしかにそれは、生物のミクロのレベルに大きな視野を切り拓き、その仕組みや機能や相互作用などを明らかにした点で画期的なものであった。

従来細胞核のなかに存在するヒストンとよばれるタンパク質の鎖状の分子、つまり染色体として知られていた遺伝子が、DNA(ディオキシリボ核酸)の二重螺旋構造をなしているというだけではなく、それを構成する四つの塩基（頭文字をとってG／A／C／T）の配列からなり、それらの複雑な組み合わせによって遺伝情報を伝達するという全体的な構造が解明されるにいたったのだ。

そこから分子生物学の驚くべき進展がはじまった。ヒトを含む生物のゲノム（遺伝子配列）の解明、その配列の微小な差異や異常がいかに個体の差異を造りだし、あるいは遺伝的疾患などに作用するか、情報技術の進展とあいまって、遺伝子の解読が生命体のすべてを明らかにするといったある種の先入観が形成されるにいたった。さらにそれは胎児の遺伝子診断にまでおよび、権力主導のナチスの優生学とはまったく逆であるが、個人主導の優生学が社会的にひろがるといった事態を生みだすこととなった。

一般社会だけではない。生物学界にさえ、新ダーウィン主義という遺伝子決定論のイデオロギーさえ登場する。DNA・RNA構造の発見者のひとりであるジェームズ・ワトソン自身が、生物の行動はすべて遺伝子によって決定されるという遺伝子決定論を唱えたこともあり、遺伝子決定論というイデオロギーは、中心となった「進化生物学」に付随して、「進化社会学」または「社会生物学」や「進化心理学」という疑似専門領域を生みだす。社会生物学の急進主義者たちは、たとえばヒトの雄のレイプといった性的に異常な行動すらも遺伝子の所産であり、自然な現象であると主張するにいたった。

遺伝子決定論はまた遺伝子還元論といいかえてもいいが、それをになう進化生物学をもっともポピュラーにしたのは、リチャード・ドーキンスの『利己的な遺伝子』(一九七六年)である。「われわれは生き残り機械《サヴァイヴァル・マシーン》――遺伝子として知られる利己的な分子を保存すべく盲目的にプログラムされたロボット的乗り物――である」という有名な一節に表象されるように、この本は、分子生物学の知見にもとづきながら、それらを新ダーウィン主義のイデオロギーできわめて論理的に解釈したものといえる。

この新ダーウィン主義は、各種の先天的・後天的疾病と遺伝子との関係を論ずるメディアの医学情報などとあいまって一般社会にひろく浸透しただけではなく、量子論におけるコペンハーゲン解釈同様、二十世紀後半の生物学界を圧倒的に支配する。

だがすでに触れた微生物科学の発展と、それを追って展開したエピジェネティックス(後発生遺伝学)が、新ダーウィン主義とそのイデオロギーを決定的に覆すにいたる。

微生物学と共生進化

すでにＨＩＶウイルスやミトコンドリアについて述べてきたが、微生物科学《サイエンス・オヴ・マイクローブ》または微生物学《マイクロバイオロジー》は、ダーウィン主義や新ダーウィン主義の支配する生物学主流のいわば枠組みの外で、アメーバやバクテリアあるいはウイルスについての地道な研究や実験を積み重ねていた。画期的な知見を含むリン・マーギュリスの業績などは一九六〇年代から出現していたが、主流派はそれらを黙殺し、あるいは否認しつづけてきた。

だが八〇年代から九〇年代にかけて――まさに超弦理論の興隆と並行して――もはや黙殺や否認が不可能な実験や理論が続々と登場し、新ダーウィン主義の牙城を一気にゆさぶっただけではなく、ダーウィンの進化論そのものの書き換えをうながすような新しい事実が明らかとなってきた。

フランクが発見し、クロポトキンの理論の基礎となった植物の根と菌糸との共生関係は《外共生《エクソシンバイオシス》》とよばれ、古くから知られていたミツバチと植物の受粉などの関係もその典型であるが、微生物のレベルでは《内共生《エンドシンバイオシス》》と呼ばれる関係が重要であるだけではなく、それが生物の進化をうながしていることがわかったのだ。

　つまりヒトのミトコンドリアが典型であるが、はじめは猛威をふるったかもしれないバクテリアが、個々の細胞の細胞質に入り込んで内共生関係となったとき、それはヒトの細胞を新しく進化させたといえる。なぜならミトコンドリアは宿主細胞から栄養の提供を受ける代わりに酸素を蓄積し、もし宿主が筋肉細胞であれば必要とするエネルギーを即座に放出して筋肉をうごかす、あるいは脳細胞であれば即座に思考エネルギーを提供するからである（宇宙空間での飛行士の深刻な健康上の危険は、無重力ではミトコンドリアが活動を停止してしまうことに由来する）。

　この動物の細胞質に寄生するミトコンドリアの酸素代謝作用《メタボリズム》を、植物の細胞質の構成要素である葉緑体《クロロプラスト》の光合成代謝作用との類似性に着目し、ミトコンドリアがそれぞれの宿主の細胞質に安住しながら新陳代謝を行って内共生するだけではなく、真核生物の進化をうながし、みずからもこのようなかたちに進化したことを示し、それを《共生発生《シンバイオジェネシス》》と命名したのはリン・マーギュリスであった。

　例によって新ダーウィン主義者たちの猛攻撃を受けたが、それはしだいに各種の研究や実験によって事実であることが明らかとなっただけではなく、ダーウィン主義的進化論の書き換えをうながす重大な論点を含んでいることも明らかとなった。すなわちヒトの受精卵をはじめとして、遺伝をになうのは細胞核だけであるとする従来の見解に対して、独自の遺伝子をもつミトコンドリアを共生させている細胞質がもつ、遺伝上の重要な機能である。

ミトコンドリアが共生して進化した細胞質――父方の遺伝子を二分の一含む核に対して母方のみのミトコンドリアが遺伝する――は、むしろ細胞核形成にあたって核酸の鋳型となることが明らかとなった（クローン技術はこの応用である）。つまり母方の細胞質の遺伝的継承が、子孫にとって決定的なものであるのだ。

さらに重要なことは、生化学《バイオケミストリー》の進展によって、生物圏だけではなく、いわゆる無機物を含め、地球全体が共生によって進化してきた事実が明快となった。たとえば生命は太陽光と水を必要とするが、水の最大の供給源である海洋から上昇する水蒸気が雲を形成し、雨を降らす。だが水蒸気はディメティル硫黄化合物という核がないかぎり雲としては形成されない。だがなぜこの化学物質が大気中に存在するのか、長い間不明であった。

しかし、海中の微生物や藻類がそれを放出し、海水に溶けたこの硫黄化合物が水蒸気とともに上昇し、雲を形成することが明らかとなった。これは酸素サイクルや炭素サイクルなどよりも古い、地球の硫黄サイクルのもっとも重要な役割のひとつである。

つまり地球全体が、あたかもひとつの有機体であるかのように進化してきたことをこの事実は告げているが、かつてジェームズ・ラヴロックが提唱し、新ダーウィン主義者たちによって袋叩きにあった地球の「ガイア仮説」は、これら共生進化の生物学や生化学によって実証されるにいたったのだ。

エピジェネティックス（後発生遺伝学）の登場

共生による総合的進化という観点に加え、近年登場したエピジェネティックス（後発生遺伝学）が、さらにダーウィン進化論の書き換えに大きく貢献する。

ダーウィンに先立って十九世紀初頭、進化論を提唱したフランスの生物学者ラマルクは、動物の種の分岐などの進化は、環境に対応する動物の習性の変化に由来するという《獲得形質の遺伝》を説いた。だがダーウィンそのひとというよりも、後年のダーウィン主義者たちはこの説を全面的に否定し、獲得形質の遺伝はダーウィン主義の禁句とさえなった。

一九六〇年代、当時流行していた経験論的で行動主義的な「構造言語学」と決別し、シンタックス（統辞論）を媒介に、言語の表層構造と意味にかかわる深層構造とのかかわり、つまりほんとうの意味での言語の《構造》を明らかにしたノーム・チョムスキーが、母語の習得は後天的なものであるが、どの言語でも習得できる人間の言語能力《リングィスティック・コンピテンス》は先天的なものである、つまり遺伝である、と説いて新ダーウィン主義者たちの猛攻撃を受けた。だがエピジェネティックスは、その主張が正しいことを証明したのだ。

獲得形質の遺伝といっても、それは遺伝子そのものへの環境や個体の歴史などの影響による変異であり、また蓄積されたある種の変異は遺伝する、といったミクロのレベルにかかわるものである。

たとえば一卵性双生児は、まったく同一の遺伝子をもつものとしてしばしば遺伝学研究の対象になるが、エピジェネティックスの観点からすると、成長するにつれて疾病の仕方が異なるとか、かかりやすい病気が異なるとか、医療にかぎらずさまざまな差異があらわれてくる。とりわけ二人が別の家族など、社会的・自然的環境がまったく異なる場で成長したとき、その差はとりわけ大きい。

それは彼らの遺伝子の配列がまったく同じであっても、環境や状況によってその遺伝子にかかるいわば負荷が異なっていて、それがＤＮＡの塩基配列に微妙な化学作用をおよぼすからである。とりわけ心的ストレスなどは強い化学作用を招く。すなわち脳を媒体とする人間の思考活動が、身体的な遺伝子の活動に影響し、さらにその相互が作用しあって行動や生活様式にまで変化をもたらすのだ。

たしかに一卵性双生児のこれらの例は一代かぎりのものかもしれない。だが集団に共通の習性などが、持続的に蓄積された場合はどうなるか。

チョムスキーの場合に関連していえば、最近の脳神経科学の進展が、人間の言語活動における脳の役割や機能をかなり明らかにしてきた。類人猿を含めた哺乳類の言語活動と決定的に異なるのは、彼らと同じ情動的あるいは行動指示的な状況反応言語は別として、人間の言語は、《記号》という抽象性を帯びることによって高度の抽象的思考を可能にしたことである。だが彼のいう遺伝的な言語能力がないとしたら、まったくの白紙で生まれた子供が、ただ学習だけで記号としての言語を自由に繰ることが果たしてできるだろうか。チンパンジーなどによる言語実験やオウムによる言語実験などをみれば、人間以外の動物に、単語とその指示的意味との一対一対応を超える思考能力があるとは思われない。

事実MRI（磁気共鳴画像装置）など技術的発展により、ヒトの脳の言語活動のメカニズムがかなり把握されつつある。たとえば同じ言語活動でも、聴く言語活動と文字により読む言語活動の脳の部位や機能の違い――聴く言語活動では左脳が中心となるが、読む言語活動では図形解読を行う右脳がかなりの程度かかわる――、あるいは同じ読む言語活動にしても、ローマ字やハングルなど表音文字を通じたものと、漢字など表意文字または両者の混用（日本語など）を通じたものとの差異――後者は同じく右脳がかかわる――、また女性・男性のジェンダーによる言語活動の主要位置の差異――女性は頭蓋骨によって強く保護される前頭葉、男性は側頭葉のシルヴィウス裂溝付近（交通事故などでの失語症は頭蓋骨保護の弱い男性に圧倒的に多い）――、同じ単語がときに動詞になり名詞になる英語のような言語のその変換をつかさどる脳の機能とその位置に対して、それがない言語との差異など、詳細にわたっている。

ここでその細部を論ずることはできないが、これら脳の言語にかかわるさまざまな機能的差異は、学習によって一代かぎりで形成されたなどとはとうてい考えられない。異なったジェンダーや種々の種族が、長い時間をかけて蓄積してきた習性が、脳の仕組みに遺伝的影響をおよぼしたと考えるほかはないだろう。

エピジェネティックスの研究がそこまで進んでいるわけではないが、ダーウィン主義の成立以来徹底的に排除されてきた獲得形質の遺伝とそれによる進化というラマルク的発想は、遺伝子にかかわるこうしたミクロなレベルでたんに復活しただけではなく、ダーウィン進化論の書き換えをうながすもうひとつの大きな要因となったのだ。

いずれにせよ分子生物学の諸発見を歪曲してきた新ダーウィン主義的解釈は、ここで完全に崩壊したといっていい。むしろエピジェネティックスは、医学分野でも顕著な業績をあげつつあるが、分子生物学の諸発見の正当な継承者であり解釈者であるといえる。共生進化の概念とともに、それらは新ダーウィン主義を超える脱ダーウィン主義の展望を切り開き、地球全体が、いわば三次元空間の目にみえないブレーンのなかで、ストリングが、分子が、諸化学物質が、さらにそれらが思考とかかわりあって躍動する生命のネットワークを構成していることを明らかにしつつある。

一元論的全体性の復権

分子生物学以来、生物のゲノム（遺伝子配列）の解読が次々と行われ、それを構成する遺伝子の数やそこに含まれる遺伝子の種類などが明らかとなってきた。たとえばヒト固有の遺伝子の数は約二万であるが、それはショウジョウバエの一万三千六百とそれほどの差はない。つまり地球の進化とともに生物多様性は増大し、さまざまな種の分岐は、基本的には共通遺伝子を複雑な過程をへて変異させ、その数を増大させていったことに由来するが、遺伝子の数の差異の少なさは明らかに、全生物は母なる地球ガイアが育てた兄弟姉妹にほかならないことを物語っている。

しかもエピジェネティックスが解明したように、動物の行動にかかわる思考的習性、あるいはヒトの言語や文化といった習性が脳に蓄積され、遺伝することとは、デカルト的二元論にもとづき生物の物質的側面のみに着目してきた自然科学としての生物学を、思考体系とその所産をあつかう人間科学と密接に関連づけるものとするだろう。量を解析する数学を道具として取り入れ、自然科学化をはかってきた従来の人間科学の一部とはまったく異なる科学の方法論や総合化が必要とされるのだ。

いずれにせよこれら自然科学の最先端に出現したパラダイム・シフトは、宇宙や自然にもとづく一元論であり、また同時に思考と実体との不可分性を訴える一元論である。もはや誤解はありえないと思うが、再度強調すれば、この目にみえる宇宙のみがリアリティであるのではなく、量子宇宙論の多重世界解釈が教えているように、われわれにとって目にみえない隠されたリアリティが存在し、むしろそれがこの世界に深い影響をおよぼしている。暗黒物質や暗黒エネルギーのようにそれは、重力波を媒介としてわれわれの思考に作用しているのかもしれない。

そのうえ、たとえ隠されたリアリティがわれわれの思考のなかにのみ存在するプラトン的世界であるとしても、それはわれわれが祖先から継承してきた遺伝子というモノに刻まれた情報であり、その意味でまさにひとつのリアリティなのだ。そのことは古代や誤って未開とよばれてきたひとびとの《他界》にまつわる数々の伝承が告げていることである。

古代の知恵と最先端の科学が教えるこの広大なプラトン的世界の認識が、思考を主観性の枠に閉じ込め、客観性という名の実体のレベルでの合理性のみの追求の結果、出口のない袋小路に陥った近代文明を、そこから解放する強力な知となりうるかどうか、以下結論で考えてみよう。

結論

脱近代の知——リアリティを超える「リアリティ」

海と星

数十年前、洋上大学の講師を頼まれ、二万五千トン級の客船で南太平洋へと航海した。夜、背後に高くそびえる船橋で行われる航行操作の邪魔にならないようにと、一切の灯りが消された前部デッキで満天の星空をみあげ、ホピの夜空とは別の深い感動を体験したことがある。

強い気流もなく、またたきも少ない星々は手が届かんばかりに近く、星明りは、その名のとおり波もなく穏やかな太平洋の果てしない海原を照らし、四階建ての船橋やレーダー・アンテナの白い塗装をも輝かし、低くくぐもってひびくエンジンの音も気にならない静寂のなか、巨船は静かに進んでいた。

ホピの夜空とは別の深い感動というのは、ポリネシアやミクロネシアの島々に渡った人類の祖先たちが、ときには多くの苦難や危険に出くわしたとしても、こうした静かな夜、数十人も乗る安定性抜群の大型双胴カヌーを繰りながら、このような星空をみあげ、星座の位置を確認しながら航海していたという、歴史の一情景を想像したからである。

事実、最後の移住地ニュージーランドにマオリのひとびとが到達したのは十一世紀頃とされているが、ポリネシアやミクロネシアあるいはメラネシアへの人類の移住はかなり古いものと考えられている。土器を使わなかった彼らの痕跡の考古学的確定はかなり困難であるが、一説によれば日本の縄文期にはすでに主要な地域への移住は完了していたともいわれる。

エクアドルで発見された土器が、その紋様や材質からして日本の縄文土器であるという説もあるし、事実江戸時代の十六世紀、幕府の命によって派遣された小笠原貞頼が発見するまでまったくの無人島であるとされてきた小笠原群島に、一九八〇年代の終わり、居住していたのがどのようなひとびとであるか不明だが、二千年以上も前のヒトの遺跡が発見され、発掘調査が行われた。伊豆諸島から小笠原群島をへてマリアナ諸島にいたれば、北赤道海流と南赤道海流にはさまれて流れる反赤道海流に乗り、アメリカ大陸に到達することは十分可能である。縄文土器がエクアドルにわたったことも、まったく荒唐無稽の話ではない。

いまなお残るポリネシアやミクロネシアの大型カヌー建造技術や、天体観測と潮流や季節による風向きなどの観測を複合した彼らの精密な航海術を知れば、台風やハリケーンさえなければ波静かな南太平洋を横断し、アメリカ大陸と東南アジアとを行き来した古代の「大航海時代」が、コロンブスやマジェランよりはるか昔に存在していたことは明らかだといわなくてはならない。

拙著『蛇と太陽とコロンブス――アメリカインディアンに学ぶ脱近代』(農山漁村文化協会、一九九二年)でも紹介したが、この事実を厳密な植物同定技術によって立証した植物学者の論文がある。ジョージ・F・カーターの「アメリカとの初期の接触の植物証拠」(一九五〇年)である。

彼はワタに注目した。旧大陸でも新大陸でも野生種のワタは古くからあり、中近東ではその種から綿実油を絞るために栽培されていた。その実から木綿を紡ぐことをはじめたのは、いまでも繊細なインド木綿で知られるインドである。だが旧大陸の野生種と新大陸の野生種とは、その染色体の構成が異なっている。前者は大染色体一三で栽培種も同じ、後者は小染色体一三である。ところが紀元前三〇〇〇年から一〇〇〇年とされるペルーのプレ・チャビン文化の遺跡から発見された木綿布の断片は染色体二六(大一三+小一三)であり、両者を交配した栽培種「南米ワタ(Gossypium barbadense)」であることがわかる(ホピで伝統的に栽培されている栽培種のワタはこれの亜種で中米ワタ[G.punctatum]と称されている)。しかもこの交配種——亜種についての議論は省略する——は不思議なことに、ガラパゴスやポリネシアからメラネシアのフィジーにいたるまで《野生種》として分布しているのだ。これはなにを物語るか。

つまりインドから東南アジアにはいってきた旧大陸の栽培種が、ひとたびアメリカ大陸にわたり、新大陸の野生種と交配された新栽培種となり、それがともに渡来した木綿織技術の伝承によってプレ・チャビン文化あるいは現在のホピの木綿となったのだ、と。さらにそれらがアメリカ大陸から逆輸入された太平洋の島々では、ポリネシア人をはじめひとびとは、ハイビスカスの樹皮から造る樹皮布（ポリネシア語でタパあるいはカパ）ですべての衣類や敷物をまかなったため、木綿造りは放棄され、交配栽培種は野性にもどったのだ、となる。

古代のこの大航海時代は、想像するだけでも楽しいではないか。近代文明がすべての文明の頂点であり、それをになう近代の人間は、ヒトの生物学的進化の最終段階にあるといった先入観を植えつけられ、合理性と利便追求が生みだした繁栄に酔ったわれわれは、古代や「未開」のひとびとの、大自然との共生進化をなしとげてきたその叡知や技術を忘れ、人類生存の王道をはずれてしまったことを自覚しなくてはならない。

たしかに過去の多くの文明も滅亡した。その原因のほとんどは、繁栄による人口やエネルギー需要の増大がもたらした環境破壊にある。ホピの伝承によれば、中央アメリカに文明を築いた彼らの祖先――ホピ語はウト＝アステカ語の一分枝である――が道を誤り、災厄や戦争を引き起こしたがために、それを避け、この地に移住してきたのだという。

近代文明はいま、空前の規模でふたたびこの誤りと滅亡の道を進もうとしている。

文明と思考体系

かつてマルクス主義は、いわゆる下部構造である生産様式が変わることによって、思考体系という上部構造が変わると主張した。それに対してマックス・ウェーバーは『プロテスタンティズムの倫理と資本主義の《精神》』（一九〇五年）で、宗教改革という思考体系の変化が資本主義という経済体系を生みだしたのだと、きわめて説得的に主張した。

またレヴィ＝ストロースは『野生の思考』（一九六二年、表紙に「思考（pensée）」と「パンジー（pensée）」を掛けて野生種の三色スミレが描かれていた）で、誤って未開とよばれている社会では、思考体系の基本をなす神話的思考が、たんに儀礼や祭祀だけではなく、親族体系から生活様式や技術にいたるまでを支配していることを明らかにした。

一九九〇年代からはじまったトルコ東南部のグベクリ・テペ遺跡の発掘は、ある意味で世界史を書き換えるような画期的発見であった。それは、さまざまな彫刻がほどこされた巨大な一対の石灰岩の柱を中心に、石積みの壁で囲われた寺院と思われる構築物で、その規模はストーン・ヘンジなどをはるかにしのぐものであった。また周辺にもいくつかの同じ構築物も見出されたが、住居跡などはいっさいなかった。これが画期的であったのは、その構築年代がいまから一万一千六百年以前と確定されたからである。つまり農耕による定住がはじまった約一万年から八千年以前とされる「新石器革命」より一千年も古く、ストーン・ヘンジを七千年も遡ることが判明したのだ。

知の変革よりも生産様式の変革が先立つという旧来の考えによれば、新石器革命以前には狩猟採集民がバンドとよばれる小集団で生活し、神話的思考による儀礼などがそのなかでおこなわれていたとしても、このような大規模な施設の建設をともなう宗教は存在しなかった、とされてきたからである。

だがおそらくこの遺跡は、これら狩猟採集民が冬至や夏至、春分や秋分など暦の特定の日に各地から集まり、宗教的儀礼や祭りをおこなうために構築したものにちがいない。つまり新石器革命による定住がはじまる以前に、宗教的思考にもとづく構築物が存在していたこととなる。生産様式あるいは経済体系の変化より、知や思考が先立っていたのだ。

このことは教訓的である。つまり第二章で指摘したように、経済的合理性追求の暴走によって袋小路に陥った近代文明の方向転換と、近代を造りだしてきたが、これもニヒリズムの袋小路に陥った近代の知の根本的変革を目指すためには、まずなによりも知の変革が必要だという教訓である。

近代の知を超える脱近代の知とはなにか。あるいは思考体系そのものの変革とはいかなるものか。それを考えてみよう。

ニヒリズムとしての有神論と無神論

近代の知はニヒリズムに陥っているだけではなく、近代固有の二元論によって分裂しているといえよう。つまり有神論と無神論との対立、あるいは宗教と科学との対立である。

宗教改革以後の長期にわたる血まみれの宗教戦争の教訓として、西欧では宗教は信仰の自由として個人の主観性にゆだね、社会の公的な場を純粋に世俗的なものとした。マックス・ウェーバーのいう《魔術からの解放》にほかならない。だがウェーバーはそれによって開始され、ついには巨大なメカニズムとなった合理性の追求が、社会の成員のすべてを抑圧する「鉄の檻」と化したことを告発している（わが国では戦後、戦後民主主義者たちによって《魔術からの解放》概念は肯定的なものとして受け止められた）。

社会におけるすべての二元論的分裂は、この魔術からの解放に由来するといってよい。たとえば科学は、ウェーバーのいう《価値からの自由》、つまり宗教的あるいは主観的価値観から解放された自由でいわゆる客観的な立場で追求されるものとされた。

だが序論で述べたように、量子論のコペンハーゲン解釈または二元論に反対し、一元論を唱えたアインシュタインやシュレーディンガーあるいはボームが、スピノザ哲学やヒンドゥー哲学に造詣が深かったのは偶然ではない。数学における形式主義と直観主義との対立も、プラトン的かアリストテレス的かという世界観そのものの対立にほかならない。いわゆる理性至上と思われる科学でさえも、直観や感性を含む身体的存在としての人間性と不可分なのだ。

しかしながら近代の知はそれを無視し、科学者個人の世界観や宗教とは無関係に、絶対的な「客観的場」で科学は成立するとした。しかし宇宙論ひとつをとっても、普遍的で共通のデータを解析し、それを解釈する段階では明らかに「主観的判断」つまりそのひとの行動様式や態度や先入観などまで含む広義の世界観が介入する。したがって逆に、自己の宗教的先入観が科学的理論の構築に影響をおよぼすことも十分に考えられる。その典型が、神がこの宇宙をデザインしたと主張する「インテリジェント・デザイン」という疑似進化論である。

進化論や科学そのものをも宗教的先入観によって歪曲するこうした疑似科学は論外であるが、一般的に一神教のみに固有の原理主義は、つねにウェーバーのいう鉄の檻に反逆し、世俗主義の公的社会、その意味では無神論の公的社会に、彼らの信ずる宗教的価値観や世界観を復権させようと固執する。近代に成立した鉄の檻への反逆という点で、これら原理主義は一見復古主義にみえるが、むしろ近代となってはじめて生みだされた宗教形態にほかならない（イスラーム世界では原理主義は、西欧植民地主義に対する反逆からはじまった）。

この原理主義にいらだつのは無神論者たちである。進化生物学者のリチャード・ドーキンスは、一時英語圏でベストセラーとなった『神という妄想《ゴッド・ディルージョン》』（二〇〇六年）と題する本を書いて、原理主義者だけではなく宗教全体を《妄想》として否認した。宗教依存は恋愛などと同じく、精神的・心理的庇護を求める遺伝子プログラムの副産物にすぎず、科学的に神の存在の証明は不可能なのだから、人間は神の否認から出発しなくてはならない。神の概念は、幼児期の白紙に近い脳にウイルスのように注入され、脳の誤発火《ミスファイアリング》によって増殖した幻想にすぎない、と。

かつて同じ生物学者のジャック・モノーは、『偶然と必然』（一九七一年）で、生物は熱力学の第二法則（エントロピー）に逆行して無秩序から秩序を生みだす存在であり、その意味で宇宙には稀な「必然の宇宙」だとし、量子力学の教える物質の「偶然の宇宙」に対立するものだと述べた。そのうえで彼は、この必然の宇宙は偶然の宇宙の確率論的な撹乱から生まれたのであり、必然の宇宙で知をもつ唯一の存在である人間は、偶然の宇宙という広大な《虚無》のなかで孤立した存在であることを自覚しなくてはならないと説いた。この無神論の精髄ともいうべきモノーの主張は、生物学の限界を超えて西欧近代思想のたどりついた究極のニヒリズムを表現している。

モノーの主張はニヒリズムではあるが、一面、当時フランスを風靡した古生物学者でカトリック神父のテイヤール・ド・シャルダンの主張、すなわち西欧人は生物進化の最終到達点にあり、西欧近代文明は進化の中軸となったとする議論への反論であり、その西欧中心主義や人種主義に対する批判としては正当であったといえる。だがそれに比してドーキンスの無神論は、皮相なプラグマティズムであるとともにイデオロギー的であり、たんに新ダーウィン主義的ニヒリズムとしかいいようがない。

要するに、西欧近代における原理主義的有神論も、それに反対する無神論も、ともにニヒリズムの所産にほかならないのだ。

アジアの叡知

ドーキンスは「おそらくイスラームは肉食的遺伝子複合に、仏教は草食的遺伝子複合に類比される」と迷論を展開しているが、イスラームも仏教もまったくそのようなものではない。

仏教や道教あるいはヒンドゥー諸思想が、一見おだやかで寛容であるようにみえるのは、それらが宇宙や自然と人間を含む生命世界の一元論に立っているからである。それらは当然、感性や無意識といった身体性のうえに構築され、西欧近代の原理主義的有神論や無神論のように、いわゆる理性や意識あるいはそれらにもとづくプラクシスのみによる構築とはまったく異なっている。

アメリカで行われたある心理学的実験がある。すなわち熱帯魚が泳ぎ、立ち昇る水泡に藻がゆれ、砂や岩が置かれた水槽をみて、なにを感じたかを語らせるものである。白人学生はほとんど、まずそこに泳ぐ魚の数や種類を考えたという。それに対してアジア系の学生たちは、まず水槽全体を美しい一幅の絵のようにとらえ、鑑賞したという。

知性優先で分析的または還元主義的な白人学生、感性的で美的でさえあるとともに、全体性《ホーリズム》を重んじるアジア系学生という対照性が、ここに明白に浮かびあがってくる。これはなにを意味するか。

たとえばわが国ではよく、日本人の大多数は無神論者であるなどといわれる。だがまったく間違っている。たしかに特定の宗教や宗派に属しているひとびとは少ないかもしれない。だがイスラームは例外として、伝統的にアジアには「神」は存在しなかったのであるから、われわれは有神論でも無神論でもない。

では神に代わってなにが存在したのか。宇宙であり自然であり、それを生き生きとさせ動かすなにものか、つまり「聖なるもの」である。特定の宗教や宗派に属していなくても、われわれは無意識のレベル、すなわちプラティークのレベルで、つねにこの聖なるものへの畏敬の念をもちつづけてきたのだ。同時にそれは、われわれ人間がこの聖なるものの共通の絆に結ばれた平等な存在であり、その連帯と共感をすべての生物と分かちあっている、という認識に導かれる。

二〇一一年三月十一日に起ったM9という巨大地震と巨大津波の東日本大震災において世界のひとびとを感動させたのは、肉親や友人を失い、家を流され、あるいは破壊された数十万にものぼるひとびとが、例外は当然あったとしても、相互に慰めあい、励ましあい、乏しい食糧をわかちあい、なおも礼儀正しく行動していたその姿である。近代化の習性を身につけてしまった大都会の住民ではなく、古き良き日本の残っている東北地方であったという幸いもあったかもしれない。だがこうした感性が日本人の奥底に残っていることはたしかである。

それをわれわれのプラティークのレベル深くに植えつけたのは、いまもなお残されている伝統行事や祭りに表象されるわれわれの祖先の神話的思考と、仏教や老荘思想とともに伝来した古代アジアの叡知である。

アジアの叡知とは、人間性をまず自然の一部である身体性からとらえ、自然全体や宇宙をその身体性を通じて理解する全体論《ホーリズム》であり、一元論の認識である。したがってひとはまず、自己の身体の管理からはじまり、それを養う食や環境や生活への配慮、あるいはそれらを自然や季節のリズムにいかに適応させるか、そのために必要な知をいかに蓄積するかなどにいたるまで、自己の全体的な実現を目指すことを要求される。それは当然、自己の行為《カルマ》と知《ジュニャーナ》と宇宙への信愛《バクティ》の確立へとつらなる。

第三章でくわしく述べたが、『バガヴァッド・ギーター』はなによりもそのことを教えている。もう一度要約すれば、戦争や殺戮のむなしさに苦悶する英雄アルジュナのまえに、戦車の御者姿で現れた神クリシュナは説く。たとえそれらが迷妄《マーヤー》の世界のむなしい所産であろうとも、動いている輪廻《サンサーラ》の巨大な車輪から逃れることはできない。おのれがからめとられている迷妄の世界を否定することはできないし、しても無駄だ。まずおまえにとっては戦いというおのれの行為《カルマ》を遂行せよ。そしてその過程で宇宙への知《ジュニャーナ》と信愛《バクティ》を獲得するのだ。それがヨーガの道であり、迷妄《マーヤー》の分厚い帳《とばり》を破り、宇宙をつらぬく真理を体得する道なのだ、と。

ウェンディ・ドニガーのいう世界最大の反戦叙事詩『マハーバーラタ』の核心というべき『ギーター』のこの主張には、古代アジアの叡知が凝縮されている。はなはだしく誤解されているように、ヨーガの道はたんなる自己満足的な修行の道であるのではない。それは自己の身体性を通じて、おのれが世界や宇宙といかなる絆で結ばれているかを認識し、しかも認識は、同時に身体的行為《カルマ》でなくてはならないとする。いまここにある世界がマーヤーであることの自覚が、身体性を通じてそれを超える道を照らしだす。

西欧にかぎらず近代の多くの知識人が身体性を忘却し、主観性のなかで肥大した自己の観念にとらわれた「観念の化け物」と化し、ひたすらニヒリズムへの道を突き進んだことを忘れてはならない。

脱近代の知とはなにか

身体性を忘却した観念の知である近代の知に対して、では身体的実践にもとづく脱近代の知とはなにか。それを考えなくてはならない。

すでに暗示してきたように、それは古代や「未開」の叡知であるとともに、最先端の科学が啓示する知であり、思考体系である。それは近代の二元論を超えたものであるとともに、多重世界といってもよい《他界》の復権である。事実、量子宇宙論の先駆者であり、多重世界解釈の初期の提唱者であるポール・C・W・デーヴィスの一九八〇年の啓蒙書は、複数形ではあるが『他界《アザー・ワールズ》』と題されている。この目にみえるリアリティは、それと重なり合う複数の目にみえない「リアリティ」の干渉や影響を受けないはずはないという、他界の存在のきわめて精密な物理学的主張である。

われわれのリアリティに他界という名の隠された「リアリティ」が重なるという古代や最先端の物理学の主張は、老子やプラトンやシャンカラの主張と同じく、けっして二元論ではない。なぜならそれらは、目にみえるリアリティは隠された「リアリティ」に支配され、規定されているという一元論だからである。すでにみたように、微視的な量子世界の法則はこの世界やわれわれの宇宙をも貫徹しているのであり、老子のいうように、宇宙のはじまりである《名の無い》隠された世界と、造りだされた《名の有る》目にみえる世界とは同一物――「無名天地之始、有名万物之母……此両者同出而異名」――にほかならないからである。

他界または多重世界がどのようなものであるか、われわれは知ることができない。二次元平面のたとえで示したように、三次元空間に住むわれわれは、四次元以上の超空間がどのようなものか、想像することさえ不可能だからである。死者たちは灰から無数のストリングに戻り、広大なこの宇宙に飛散するとともに、彼または彼女のループ状のストリングは重力波となって他界へと移行するのかもしれない。他界では、はたして時間の矢もわれわれの世界と同じなのか、違うのか、あるいは逆行しているということもありうるのか、それも知ることはできない。

だがいずれにせよ、他界の存在が少なくとも科学的あるいは理論的に証明され、その証明のごく一部が、大ハドロン衝突機（ＬＨＣ）で実証されることがありうるとされる現在、われわれは古代や「未開」のひとびとと同じく、この目にみえる世界に隠された「リアリティ」への畏敬の念を取り戻さなくてはならない。

なぜなら、経済合理性の暴走に突き動かされ、偽の繁栄と利便に酔い、資源やエネルギーの浪費に無関心に、またそれによる地球環境の無限の破壊に目を閉ざし、文明の終末へと進んでいる世界のほとんどの近代人たちは、この暴走の根本原因が、他界への畏敬の念の喪失であることにまったく無知だからである。

自然を征服するという近代のまったく誤った人間中心主義《アンスロポセントリズム》、そして自然の征服を可能にするのはデカルト二元論によって偏ってしまった理性と称するものであるというその理性中心主義《ロゴセントリズム》は、われわれの内なる自然――ルソーやゲーテをはじめニヒリズムに抗したひとびとがつねに「人間的自然《ヒューマン・ネイチャー》（本性）」を喚起したことを思いだそう――すなわち身体性の欠如に由来する。ここでも思考と身体の不可分性を訴える一元論が、その誤りを正すのだ。

われわれにとって目にみえない「リアリティ」、それと不可分のこの目にみえる宇宙、さらには地球の大自然と不可分のわれわれ自身の身体性、この絆への畏敬の念の回復は、われわれの思考体系を変える。なぜならそれを回復したとき、思考を構成する諸概念はたんなる観念ではなく、無意識の領域にまでひろがる具体性を回復し、人間の思考の構造となることができるからである。人間の知は、身体的でプラティークの領域に深くひろがるものとならなければ、真の知とはならない。

逆にいえば、近代の知は偏った観念として出発したにもかかわらず、社会から経済活動にいたるすべての体制がそれによって造りだされ、もはや習性となってしまった結果、その知は「科学信仰」や原発の「安全神話」に代表されるように、近代人のプラティーク・レベルにまで浸透してしまったといえる。この近代人のプラティークのレベルを変革しなくてはならないのだ。

認識論としての構造主義

身体性を媒介とする知と人間社会とのこうした関係を明らかにしたのは、一九六〇年代、人間科学の分野に登場した「構造主義」という先端的な認識論であった。

いまとなっては細部に多くの誤りがみられるが、『野生の思考』でレヴィ＝ストロースが明らかにしたのは、「未開」とよばれる諸社会のトーテムという現象が、それらの社会の知を表現するきわめて精密な思考体系であるとともに、社会制度やひとびとの行動様式をも規定する包括的で全体的な「構造」であるということであった。

かつて唱えられたように、それは人類の幼時段階の未熟な思考をあらわしているとか、あるいはトーテミズムという名のもとに文化人類学の個別的な研究分野が主張していたように、氏族や宗教組織の識別記号である、あるいはせいぜいさまざまなタブーをともなう未開社会の行動様式の呪術的決定因であるといった、経験論や実証主義にもとづく解釈の決定的な誤謬をレヴィ＝ストロースは指摘し、むしろそれは近代社会の内部にさえひそむ、人類に普遍的な神話的思考の現れであるとして、それを「野生の思考」と名づけた。

近代科学としての人間科学を超えるこの構造主義の革命は、いまだに正当に理解され、評価されているとはいえない。だが逆にいえばそれは、人間科学を支配している近代の二元論的認識論が、いかに強固なものであるかを示しているといえよう。

レヴィ＝ストロースとならんでこの革命を推進した精神分析学者のジャック・ラカンは、フロイトが発見し、性的欲望に支配されたリビドーと名づけられた無意識の領域が、性的抑圧の強い近代西欧社会ではたしかに非合理的であり、父親に対する男子のエディプス・コンプレックスも成立するが、そうでない社会、たとえばホピではそうしたものは成立しない、と説いた。さらに彼は、人間の自我は根本的に《鏡の状態》にあるという。すなわち意識のレベルでは、主観性が邪魔をして他者の真の姿を認識できないが、主観性を消去した私が他者をみるとき、他者はつねに自我の投影となってあらわれる。だが主観性を消去した自我の根底は無意識の領域であり、それは構造化されているから、その構造によって自己と他者は数学用語でいう同形となる。つまり彼自身のことばによれば、《主体における無意識的なものは、他者の論述《ディスクール》である》と。

ここにも、人間相互はホッブズのいう《ひとはひとにとって狼である》——ほんとうの狼は緊密な絆で結ばれた相互扶助の集団である——のではまったくなく、本来

《思いやり》（ピティエ）という感性つまり身体性によって結ばれた、自由・平等・友愛の社会をかたちづくっていたという、ルソーの先駆的な思想がはるかにこだましている。構造概念が、それに精密な枠組みをあたえたのだ。

すでにたびたび述べてきたように、さまざまな元（要素）の集合があり、それらがなんらかの規則で結ばれているとき、数学ではそれを構造と呼び、構造の違いによって群・環・体などの名称をあたえるが、トーテムや無意識の領域はその意味で構造である。またトーテムなど文化的記号は、天と地、太陽と月、冬と夏、鷲と蛇などさまざまな《記号の対称》のうえに構成されているところから、対称の構造をあつかう群論でいわば演算することができる。その詳細は、たとえばパプア・ニューギニアの「奇習」をクラインの四元群で分析した拙著『近代科学の終焉』（藤原書店、一九九八年）にゆずるし、またこうした構造のもつ意味論の分析については、同じく数学の束論で分析できることを第三章で示してあるので参照していただきたい。

いずれにせよ数学を媒介とする構造概念は、数学とりわけ量や数値をあつかう微積分などをたんに道具として導入した経済学などの近代科学とは異なり、デカルト的二元論に由来する人間科学と自然科学との境界を取り払い、科学全体にかつてない統合的視野を導入するものといえる。とりわけ人間の文化の遺伝をも対象に入れたエピジェネティックスを中心とする生物学や、思考と身体との諸関係を解明する脳神経科学などは、人間科学の進展に大きく寄与することとなるだろう。

もしそれによって無意識の思考の構造、つまり人間のプラティーク・レベルの構造が明らかとなれば、たとえば歴史学も、意識的行為としてのプラクシス・レベルのみを扱ってきた近代歴史学の限界と、そのイデオロギーである歴史主義を超えることができるにちがいない。またわが国で論争となった、経済や生産の中心であったのは稲作農耕であるとする文献にもとづくいわゆる稲作史観と、少なくとも中世では稲作より雑穀の生産高がはるかに多かったとして稲作史観を批判する歴史観といった、観念論と唯物論との不毛な対立も終わりを告げるだろう（神話的思考や文化の問題としては、稲作というよりは稲は、歴史的に中心的役割を果たしてきたし、この記号としての「稲」は、わが国の思考体系と経済体系とを不可分に結ぶ媒体である）。

問題は記号概念である。たとえば言語でも、人間の言語が動物たちのそれと根本的に異なっているのは、母音・子音に音韻が分節され、それを組み合わせた単語が生成し、文法が生じ、文が表現され、その統辞論《シンタックス》や意味論が構成される、すなわち動物言語のように音声やそのイントネーションなどが感情や意志や意味を直接伝達する――もちろん動物である人間の言語でもそうした機能はあるし、それは脳の新皮質ではなく小脳とよばれる領野がになう――のではなく、意味をになう最小単位としての単語(元)いいかえれば記号が、種々の規則によって相互に結ばれ、構造となることによって、高度に抽象的な操作(演算)が可能となり、複雑な意味を伝達できるようになる。

もっとも抽象的とされる数学記号にしてもまったく同じである。aやbあるいはxやyといった記号が数式という文となり、それぞれの領域に固有の統辞論によって意味を伝達する。量や数値といった狭い意味だけではなく、抽象数学のように関係性や論理、あるいは超数学のように哲学的存在論さえも表現可能となる。

言語記号だけではない。音も音階や旋法という形で分節され、記号となり、それらの規則的な結合によって音楽という意味を表現する。色彩も同じであり、自然界にある無限の色を人間はカテゴリーによって分節し、記号とするとともに、たとえばわが国の古代のように、アヲすなわち春・東・瑞《みづ》(水をふくむもの)など、赤すなわち秋・西・火など、白すなわち冬・北・天など、黒すなわち夏・南・大地などの意味を表現する四カテゴリー色を定め、そのさまざまな変換や結合によって宇宙論を表したりする(詳しくは拙著『日本人の

神話的思考』講談社現代新書、一九七九年を参照)。

要するに人間に固有の記号という概念が、人間の思考体系を造りだし、文化や文明を創造する根本的動因であるのだ。しかもそれが、音声や文字、またさまざまな音色や音程の音、あるいは色彩や形という物質であると同時に、意味や思考をになうものであることが決定的である。構造主義の用語では、前者を《意味するもの》、後者を《意味されたもの》と呼ぶが、記号が両者の不可分の結合体であり、さらにそれらを諸規則によって結び、ダイナミックに動かし、無限に変換させているものこそ構造にほかならないとする。

記号や構造の概念の樹立こそ、近代の知を支配してきたデカルト的二元論を最終的に粉砕した革命の原動力であったといわなくてはならない。脱近代の知の認識論的根拠はここにある。

世界像の大転換と脱近代文明の樹立へ

身体と思考が不可分であるだけではなく、たとえそのごく微小な一部にすぎないとしても、人間が自然や宇宙と不可分の一体をなしていること、さらにこの目にみえる大宇宙さえも、他界すなわち多重世界の不可分の一部であるという、世界像の大転換がはじまっている。

またこの地球上の進化論にしても、いわゆる無機物から有機物にいたる万物が、相互に不可分の共生進化の網の目を形づくり、人間にとっても言語や文化や知といった獲得形質の数百万年にもわたる遺伝が、共生進化のうえに築かれてきたことが明らかとなってきたいま、われわれの進むべき道は明白である。

すなわちわれわれは、この世界像の大転換を告げる使信を謙虚に受けとめ、われわれがその一部である共生進化の原理を人間の文化や社会にまでひろげ、袋小路に陥って出口のない近代文明の大転換をはからなくてはならない。

もしその方向に踏みださなければ、母なる地球から資源やエネルギーを収奪しつづけ、とめどもない環境破壊をもたらしつづけてきた近代文明は、かならず破滅にいたるにちがいないからである。

その破滅がどのようなものか、われわれには知ることはできない。急速な温暖化がもたらす異常気象による、海水面の上昇や恐るべき規模の巨大台風やハリケーン、あるいは逆にかつてない大旱魃などであるかもしれない。それらによる生物多様性の喪失がもたらす共生進化の歪みや、植物への人工的な遺伝子操作の副作用が、異常なウイルスやバクテリアを増殖させ、恐るべきバイオハザード（生物災害）を発生させるかもしれない。またそれ以前に、人口の増大と異常気象がもたらす食糧危機が恐るべき飢饉を引き起こし、かつてない規模の餓死者を数えるかもしれない。

自然現象だけではない。経済合理性の暴走がもたらす格差の拡大や、かつてない種類の貧困――物質的な絶対的貧困ではなく肥大した欲望との格差によるそれだけ絶望的な貧困――の増大は、いわゆる先進諸国や新興国あるいは途上国を問わず、社会的混乱や暴力といったはてしない葛藤とその悪循環を生みだすだろう。文化の多様性が失われ、近代理性によるプラクシス・レベルでの思考の画一化が進むことによって、プラティーク・レベルに遺伝されてきた価値観や倫理が排除され、あるいはゆがめられることによって、人間のあわれみや共感といった感性は失われ、戦争や暴力あるいは犯罪が犯罪と思われなくなる社会が到来するだろう。

さらにヒロシマやナガサキ、あるいはチェルノブイリやフクシマに象徴される、人間の自己制御力をはるかに超える原子力の軍事的およびいわゆる平和的利用は、同じく人間の自己制御力をはるかに超える生物の遺伝子操作技術とともに、人間環境や自然環境にどのような災厄をもたらすことになるのか、われわれは知らない。廃棄される老朽化した核兵器や使用済み核燃料の増大しつづける蓄積ひとつをとりあげても、あるいは環境にまき散らされる遺伝子操作生物ひとつをとりあげても、だれもその未来を予測することはできないのだ。

こうした破滅を避ける唯一の道は、最先端の科学が啓示する世界像の大転換が、古代や「未開」のひとびとからの遺伝としてわれわれの無意識深くに眠る人類本来の知の復活にほかならないことを知り、それをクリシュナのいうヨーガの道として実践することである。

それは難しいことではない。老子はいう。天下に「道」あれば戦争はなくなり、戦場を走らなくなった馬の糞は田をゆたかにする。この「道」がなければ兵力を蓄えなくてはならず、馬は戦場を走りまわらなくてはならない。欲望が多く、足るを知らなければ、こうした災いは尽きることはない。それゆえ、足るを知るものはつねに足りている（「故知足之足常足矣」）、つまり満足で幸福である、と（『老子』巻之三）。

ヨーガの道も老荘の道もまったく同じである。《知足》つまり足るを知るというのは、物質的な充足をいうのでも、またたんなる心理的な自己満足でもない。たしかに人間の生活には、ある程度の利便性やさまざまな用具が必要である。だが問題は欲望である。古代文明でも、経済や身分に格差があれば、欲望はより良いと思われる生活を目指して肥大する。だが近代文明ではそれは異常というほかはない。メディアとりわけ映像メディアの進展とその競合により、ヒトの感覚は無数の刺激を受け、欲望はいわば指数的に肥大する。利潤の増大をメカニズムとする近代資本主義は、広告を通じて消費者の欲望を肥大させ、商品を売り込むことを使命としているからである。

さらに先進諸国では憲法で保障された「幸福追求の権利」と称するものが、こうしたかぎりない欲望の肥大に法的な保証をあたえる。たとえば子がほしいという欲望は、医療市場にさまざまな人工的不妊治療技術を造りだし、代理出産や受精卵の遺伝子操作にいたるまで拡大させ、生命倫理、あるいは青木やよひのいう《生殖倫理》に深刻な問題を引き起こしている。食用植物の遺伝子操作でさえも大問題であるのに、受精卵の遺伝子操作や、いつでも可能とされるヒトのクローン技術など、それは原子力利用とならんで、自然そのものに、あるいは地球の進化そのものに原理的変異をもたらす深刻な事態であり、問題であるといわなくてはならない。

足るを知ること、あるいは「道」にしたがうこととは、宇宙や大自然が本来もっている進化の「法」、したがってヒトがみずからの内に担っているこの「法」を尊重し、犯さないことである。自然の欲望のみにしたがい、みずからの身体と思考の充足をはかり、それによって共感とともに他者と接する「道」が社会に確立すれば、資源とエネルギーの浪費によって築かれた大量生産・大量流通・大量消費の経済体系はおのずから解体に向かわざるをえないだろう。

われわれはそのことに賭けるほかはない。近代の経済体系が解体する過程で、ひとびとはおのずから違う道を選択せざるをえないからである。足るを知る人間を育て、足るを知る社会を造らないかぎり、人類の滅亡も架空の話ではなくなるのだ。

多重世界解釈や暗黒物質や暗黒エネルギーが開示するのはそのことである。これらに象徴される他界という名の「リアリティ」――ヒンドゥーによれば、われわれの宇宙をマーヤー（迷妄）の世界と位置づけながらもそれを包摂し、ブラフマン（宇宙の法）に支配されるより高次元のリアリティ――への畏敬の念をもう一度取り戻し、それをわれわれの無意識の構造とすることが、世界を救う道にほかならない。

これが脱近代の知であり、脱近代文明を創造する力である。

〈付〉

今、なぜ丸山眞男を批判するか

——戦後民主主義批判

瞬時にして世界を駆けめぐる巨大流動資金を梃子に経済的世界制覇をめざしたグローバリズムの崩壊によって、世界はかつてない歴史的転換点に到達した。たんに化石燃料に限らず資源とエネルギーの浪費のうえに成立してきた近代文明が、もはや持続可能ではないこともあきらかである。いまや文明そのものの変革が問われているのだ。

このような状況のなかで知に求められているものはなにか？　戦後を支配してきた知の言説《ディスクール》を根底的に批判し、その基底にある近代の知の矛盾や誤謬を剔抉し、それを超える知を創りだすことである。そのためにはまず、戦後民主主義または戦後リベラリズム批判からはじめなくてはならない。

戦後民主主義または戦後リベラリズム

戦後民主主義とは、第二次大戦後、主として知識層やメディアを中心にわが国の主流となった思想やその行動様式である。それは、明治近代化以後第二次大戦の敗北にいたるまで、いわゆる列強に対抗するためわが国を支配してきた帝国主義がもたらした数々の戦争やその惨禍の反省のうえに、それを支えてきたナショナリズムとそのうえにたつ諸思想や行動様式を厳しく批判し、人類の近代的「普遍性」にもとづき、国家を再建しようとしたものである。その理念は、戦後新しく制定された「日本国憲法」や旧「教育基本法」に反映しているといえる。

それは、明治以来の旧体制の維持または復活を狙う政治勢力に対する大きな防波堤となり、いわゆる「六〇年安保」を歴史的な分水嶺として、一九七〇年代から八〇年代にいたる高度成長期のわが国の基本的国家戦略を推進する原動力となってきた。たしかにそこには冷戦期に固有の左右のイデオロギー対立が介在し、自由主義的資本主義を全面的に肯定する勢力から、分配の公正を求める社会民主主義や、資本主義そのものの変革を目指すマルクス主義とその急進派など左翼勢力にいたるまで、多くの政治的・イデオロギー的葛藤が存在してきたのはたしかである。

だがそれらは、資本主義か社会主義かといった政治・経済体制の選択をめぐる、思想というよりもイデオロギーの争いであって、その前提となる近代の「人間の普遍性」およびそうした概念にもとづく合理的な近代文明にはなんの疑念も抱かれることはなかった。

戦前のナショナリズムを含め、そもそもイデオロギーそのものが近代の所産であって、理念や価値をめぐる争いのかたちをとりながらも、近代に固有の合理性によって社会の表面から排除された情念など非合理性をも巻き込むある種の虚偽意識または疑似思想にほかならない。したがってこうした問題の所在への自覚を欠くとき、知や思想はイデオロギーのしがらみから解き放たれることなく、一体化せざるをえない。こうして旧体制のナショナリズム・イデオロギーに対立した戦後民主主義とその思想は、必然的に高度成長期を支える戦後民主主義イデオロギーとなる。

この問題についてはまたのちに触れるとしても、戦後民主主義の潮流は、わが国だけにあらわれたわけではない。たとえばアメリカにも、戦後リベラリズムとよばれる新しい風潮が登場した。わが国と同じく、第二次大戦の惨禍やナチズム台頭の反省のうえに、合衆国建国の理念である自由と民主主義のいっそうの普遍化や原理的徹底をはかり、みずからと国家の行動の基準にしようとするものである。いっそうの普遍化のためには、従来のWASP的またはピューリタン的閉鎖性を克服し、いっそうの原理的徹底のためには、国家の政策に「正義」を求めるものである。

たとえば現在では数々の誤りが指摘されているが、マーガレット・ミードはオセアニアについての自己の人類学的知見にもとづいて、ピューリタン的家父長社会における女性差別を告発し、あるいは処女性尊重といったその性道徳や性概念に挑戦した。その『サモアの青春』や『男性と女性』などの著書は、知識層とりわけ女性知識層に絶大な影響を与え、一九六〇年代末の「性革命」を引き起こしたとさえいわれている。

あるいは政治思想や社会科学においてはI・F・ストーンやC・ライト・ミルズなどの名が挙げられるだろうが、その純正な後継者としてわれわれはノーム・チョムスキーを挙げることができる。彼はむしろ言語学者として、六〇年代の「認識論革命」ともいうべき構造主義の深化に主導的役割を果たしたにもかかわらず、その政治思想は、もはや古典となった戦後リベラリズムの正当な継承者といえる。民主党政権下に始まったヴェトナム戦争や、ジョージ・W・ブッシュ政権を頂点とする新保守主義イデオロギーとその政策的実践を、彼は激しく批判しつづけてきた。

その論拠は、共産勢力の侵略から自由と民主主義を守るとするヴェトナム戦争、あるいはサダム・フセイン独裁政権からイラクの民衆を解放し、自由と民主主義体制を作りあげるとするイラク戦争のいずれも、その名目とは逆に、暴力によってイデオロギーを押し付け、それぞれの民衆の人権や政治的・社会的自己決定権を侵し、本来の自由と民主主義の基盤である「正義」に反するというものである。この主張は、近代的な自由と民主主義の理念からすれば、正しいことはいうまでもない。

自由と民主主義あるいは正義の概念については後ほど批判的に分析するが、それらを自明の前提としてきたこの戦後リベラリズムも、戦後復興期の欧米先進諸国の価値体系となり、経済的高度成長を支えるイデオロギーとなった。だが戦後民主主義また戦後リベラリズムが体制的・社会的に自己実現し、具現化されていくにしたがって、それらイデオロギーと諸思想の内的な矛盾や限界が明らかとなっていく。それらは必然的に知的変革の力を失い、現状維持のメカニズムの一環となり、停滞することとなる。

戦後民主主義者としての丸山眞男

アメリカの戦後リベラリズムを代表する知識人たちの名を挙げてきたが、それらに対応するわが国の戦後民主主義の主導的知識人として、われわれは丸山眞男や加藤周一の名を挙げることができるだろう。

戦後民主主義確立の分水嶺となったいわゆる六〇年安保では、日米安保そのものに反対する左翼諸勢力の運動がすでに存在していたにもかかわらず、それが爆発的な市民運動となったのは、衆議院において自民党が法案の強行採決を行い、その行為が民主主義の蹂躙であり、国民の主権の否定であるとする知識人たちやマスメディアの発言や主張が世論に大きな影響をあたえたからである。とりわけそのなかで、丸山眞男は主導的というよりもいわばカリスマ的役割を果たした。

しかしそれにかかわる直接的な言説よりも重要なのは、彼の政治思想史における業績や、岩波新書『日本の思想』などに代表される啓蒙的・メディア的活動を通じて、その思想が今日にいたるまでわが国の知的世界に絶大な影響を及ぼしてきたことである。

その思想をひとくちでいえば、西欧近代合理主義の徹底した移植であり、いわば戦後民主主義の思想的背骨の形成であった。出発点は東京大学助手時代の諸論文であり、学問的密度の高い『日本政治思想史研究』である。それは、徳川時代の国教ともいうべき朱子学の「道学的合理主義」を批判した荻生徂徠やその古学派が、逆に政治思想としてもっとも徹底した儒教的合理主義（丸山は初発的な近代意識とする）を確立し、赤穂義士討ち入り事件などで徳川幕府の意思決定に大きな寄与をしたことを論じている。それと対照して、本居宣長から平田篤胤にいたる国学が、「漢意《からごころ》」の全否定から「神《かむ》ながらの道」への帰依によって、しだいに尊王攘夷のイデオロギーつまりナショナリズムの思想的根拠となっていった過程を精密に分析する。古学派・国学間のきびしい相互批判が、ある種の知の弁証法として両者を変貌させていくさまなどが、みごとに描かれている。

しかしこの出発点からして丸山の意図は、《合理性》によって日本の思想を分析し、そこに遍在する非合理性と潜在する合理性の萌芽を仕分けし、後者に日本の近代化の出発点をみいだそうとするものである。丸山にとって合理性という概念は、いうまでもなくマックス・ウェーバーに由来するが、道教やヒンドゥー教など東洋思想にもある種の合理性を発見し、《価値合理性》や《目的合理性》などの用語でそれらにまで理解の網の目をひろげ、それらに対し《形式合理性》を西欧近代に固有の合理性としたウェーバーに比べ、わが国や東洋の思想や社会全体を「前近代」という名の非合理性の枠組みに収束させる丸山は、あきらかに合理性を西欧近代にのみ帰属させている。

その姿勢は『日本の思想』においても明確であり、産業的あるいは経済的「超近代《ウルトラ》」（超合理性）に突入した高度成長期のわが国が、依然としてその内部に「前近代」（非合理性）をかかえ、思想的にも超近代・前近代の相克のなかで、かつての国学ナショナリズムの延長としての「実感信仰」と、西欧近代理論とりわけマルクス主義の硬直した受容である「理論信仰」とが対立し、イデオロギー的にいがみあうという図式が成立したという。それに加え、わが国では学問分野が西欧のような交互に連携する「ササラ文化」ではなく、相互に孤立した「タコ壺文化」をなすとし、そのうえに諸思想が相互に交わることのない「雑居性」を示しているという。さらに丸山は、加藤周一の岩波新書『雑種文化』を称揚し、思想の雑居性がむしろ雑種として入り混じれば、まだ新しい雑種思想を生むが、それさえもないとする。

加藤のいう「雑種文化」とは、西欧の「純粋文化」に対してわが国が古来さまざまな大文明を輸入し、それらの雑種としての文化を形成してきたとするものである。加藤の議論の前提に根本的な無知と誤りがあることはいうまでもない。地球上に存在するすべての文化は、どのように小さな部族文化といえども相互に影響しあい変異してきた「雑種文化」であることを人類学は教えているし、西欧文化こそ日本文化以上に、先住諸種族相互の雑種であるとともに、ローマやビザンティンやキリスト教あるいはイスラームといった大文明とのみごとな雑種であることを歴史は教えている。

いずれにせよ丸山や加藤の主張は、西欧近代が知的・文明的に先進的であり、その根幹をなす近代合理主義や合理性の社会的支配をわが国に輸入し、根付かせないかぎり日本という国の真の近代化はありえないとするものであり、これこそが彼らにかぎらず戦後民主主義知識人共通の主張であるといえる。

その根底的な誤りは、西欧近代の合理性やそれに依拠する世界観や人間像が、人類にとって普遍的であるとする点である。はたしてそうだろうか。

『古事記』の普遍性

丸山の知的・思想的誤り、さらにはそれが戦後民主主義イデオロギーと不可分であったことは、『忠誠と反逆』に収録された論文「歴史意識の『古層』」に、きわめて象徴的に集約されているといっていい。

この論文は『古事記』のいわゆる政治思想史的分析である。それは『古事記』とりわけその「神代《かみよ》」に、日本の歴史の基本原則つまり「理《ことわり》」のすべてがあるとする本居宣長の『古事記伝』を意識的に踏襲しながら、『古事記』に明治ナショナリズムにいたる「日本思想」の基本的発想と概念があるとするものである。

「神代記」から彼は、《つくる》《うむ》《なる》など「基底範疇」と称する単語を任意に抽出し、それらの相互関連からわが国の「歴史意識」の「古層」なるものを図式化する。それは要するに、確固とした人間的原理のない自然まかせの《なりゆくいきほひ》と《つぎつぎ》という同じく原理のない変化の容認であって、それが明治近代化から今日にいたるわが国の歴史の根底にある意識だというのだ。

そこにちりばめられた博覧強記の古今の文献が非専門的読者の目をくらますが、これは『古事記』の思想なるものを恣意的に創りあげ、強引に徳川期の国学思想や明治ナショナリズムと結びつけようとしたマイナスの力業としかいいようがない。しかもそれは、『古事記』を国学思想の源流としようとした宣長の『古事記伝』と同じ土俵、さらには明治ナショナリズム、とりわけ義務教育を通じて記紀の神話や伝説をわが国の歴史として教えてきた皇国史観と同じ土俵に立ち、ただまったく対立的な戦後民主主義のイデオロギーによって批判を展開しているだけだといってよい。

『日本書紀』が中国の儒教的歴史意識に触発され、わが国の「正史」を目指して編纂されたことはあきらかである。事実そこにはカムヤマトイハレヒコ（神武）の即位以後、少なくとも伝説時代においては架空ではあるが、精密な日付が打たれている。『古事記』には後世の加筆以外いっさい日付はなく、そのような歴史意識は皆無である。なにをもってそこに「歴史意識の古層」があるというのか。

『古事記』を支配しているのは、世界的に普遍的な神話的思考である。スペイン人との接触以後の歴史を含むホピの諸神話や伝説がそうであるように、また『旧約聖書』や『クルアーン』がそうであるように、神話は諸種族の宇宙論であり、そこに歴史が反映するとしても、それは神話的思考によって濾過され、浄化されて宇宙論に組み込まれる（拙著『古事記の宇宙論』平凡社新書、二〇〇七年、参照）。たとえば「海幸彦・山幸彦」伝説は、ヤマト族によるアタ（ハヤト）族の征服の歴史を示しているのではなく、二部族が統合されることによって山と海との神話的均衡が回復されるだけではなく、王権といえども大自然の法を統御することはできないこと――海の女神トヨタマヒメと山幸彦との離別と潮汐作用の力をもつ玉の返還――をうたっている。

『古事記』の中つ巻以降はあきらかに王権の年代記であるが、年代記は歴史意識によって書かれたものではない。年代記も依然として神話的思考の支配下にあり、あえていえばそれは、たとえ散文で書かれているとしても歴史ではなく、叙事詩である。まして『古事記』は祝詞《のりと》のように朗詠され、口伝でつたえられてきた。

近代の歴史意識の終焉

丸山のこの無残な誤謬は、しかしながら彼個人のものというよりも、近代に固有の歴史意識の誤謬であるといってよい。

近代の歴史意識の誤謬は、歴史が人間のプラクシス（意識的実践）によってのみ生みだされ、創られてきたとする点にある。観念論・唯物論としてイデオロギー的・認識論的には対立するが、ヘーゲルとマルクスを頂点とするこの西欧近代の歴史意識は、根源的な誤謬を含んでいる。たんにそれぞれの種族を養い、はぐくんできた自然環境との弁証法を無視している、またすでに述べたように諸種族相互の文化の弁証法的変換を無視しているというだけではなく、仮に歴史が人間のみによって創られてきたとしても、根源的誤謬を含んでいるのだ。

それは人間の思考や行為・行動が、プラクシス（意識的実践）とプラティーク（無意識的行動）という二つのレベルにわたるものであり、その相互の弁証法であるということにまったく盲目である点である。

この二つのレベルの認識は、主観・客観あるいは精神と身体といった近代に固有のデカルト的二元論を真っ向から批判し、克服する構造主義の出現からはじまった。たとえばすでに言及したチョムスキーである。

彼は、母語は誕生後習得するものであるが、人間には生得的なものとして《言語能力》があり、それが母語をはじめとしてあらゆる言語の習得を可能にする基礎的な構造であると説いた。だがそれは、たとえ脳であっても言語能力という獲得形質の遺伝を否定する新ダーウィン主義者たちの猛攻撃を受けることとなった。

だがそうした批判にもかかわらずチョムスキーや構造主義者たちは、人間の身体的で感性的な広大な無意識の領域が、きわめて体系的で構造的でさえあることを発見し、主張しはじめた。レヴィ＝ストロースは、誤って未開とよばれている諸種族が、自己を取り巻く自然の諸事物をトーテムなどの記号と化し、それらを整然と体系化する《野生の思考》や《神話的思考》を体現していることを発見する。また無意識は、フロイトの主張するような非合理的で性的欲望に支配されたものではなく、むしろ《想像的なもの》と《実在的なもの》とが数学でいう複素数《コンプレックス・ナンバー》のようなダイナミックな構造をなしていて、それを自覚し、むしろ自己の主体を消去することで真の他者の理解にいたるとしたジャック・ラカンの精神分析が出現した。新ダーウィン主義を批判するポスト・ダーウィン主義者たちや脳科学者たちは、言語能力のような獲得形質は遺伝するとして、チョムスキーが正しいと主張しはじめた。いまや新ダーウィン主義は、かつての社会進化論と同じく、現代社会の激烈な競争を進化論的必然とする生物学として、その背景をなしてきた新保守主義や新自由主義イデオロギーとともに没落しつつある。

それはさておきここに、デカルト的二元論における主観・客観の対立は偽の対立であり、身体と思考の不可分性のうえに、むしろ意識・無意識などすべては対立ではなく対称《シンメトリー》の関係にあり、人間の認識とはそれら対称のいわばダイナミックな演算であるという「認識論革命」が開始されたのだ。その成果のひとつがプラティークという概念であり、その領域である。

すなわち、歴史はプラクシス（意識的実践）によって創られるのではなく、むしろプラティーク（無意識的行動）の持続のうえに展開するのであり、プラティーク・プラクシス相互の弁証法によって創られるというものである。プラティークとはなにか？

それはかつて《慣習》とよばれた領域である。たとえば現在のわれわれの社会にも残存している儀礼的行事や祭りである。明治以後のグレゴリオ暦への完全な改暦によって、わが国ではほとんどその実質と意味を失っているが、革命以後の中国をはじめ、韓国や東南アジアでは、いまもそれぞれの固有の暦にしたがって儀礼や行事が行われている。グレゴリオ暦の一月一日では、これから厳寒にむかうのであって「新春」ではなく、七月七日はわが国では梅雨の最中であり、星を見ることは不可能である。

それだけの問題ではない。旧太陽太陰暦にしたがう諸行事は、それぞれの季節に対応した種族の宇宙論の表現なのであって、それにかかわることでわれわれは無意識にその宇宙論を自己のものとし、宇宙や大自然のなかでの自己の位置を感性的に把握してきたのだ。いうまでもなくそれは、幼児や子供たちにとって無意識の教育であり、大人たちにとって自己の感性を日常性から解放し、広大な時空をへてひろがる非日常的世界に接する瞑想的で反省的な瞬間であった。そのなかでひとびとは、無意識に倫理的思考と行動様式を身につけていく。それが《慣習》の世界であり、プラティークの世界なのだ。

たとえば道徳《モラル》は多分に意識的実践つまりプラクシスにかかわる。道徳律がつくられ、法体系が整備される。だがある日、古い道徳は社会の進展に対応できなくなる。こうして合衆国では、同性愛を禁止する州法は、憲法違反であると最高裁判所で判決されることとなる。

しかし倫理《エシックス》は異なる。それは無意識で身体的なもの、つまり遺伝的なものである。多くの世界宗教の戒律が共通であるのは、それがこの言語能力ならぬ《倫理能力》という遺伝に由来するからである。たとえば「ヒトを殺すな」、つまりヒンドゥーのアヒンサ、仏教の不殺生である。類人猿でも、チンパンジーではごくまれに「殺人」はあるが、母系制のボノボではまったくなく、ゴリラでもほとんど観察されない。動物一般でも、コンラート・ローレンツが観察したように、特殊な実験的環境に置かない限り、同種間の「殺人」はまれである。つまり同種間の「殺人」の禁止は遺伝的なものであり、それがヒトにおいては、ここでいう倫理能力を形成するのだ。現代の先進諸社会で犯罪が多発するのは、この無意識の倫理能力を抑圧し、妨害する諸要因があまりにも多いからである。

このように、人間のプラティークの構造があきらかとなれば、近代の歴史意識の誤謬もおのずからあきらかとなる。

誤って未開とよばれている社会は「歴史をもたない」とよくいわれる——この言明自体が近代の偏見である——が、そこには歴史がないのではなく、歴史はなによりもこのプラティークのレベルで形成されるからである。定期的・儀礼的に繰り返されたかつての戦争も、このレベルに含まれていた。だがたとえばスペイン人との接触やプエブロ大反乱のような非プラティークなできごと、つまりプラクシス（意識的実践）によってしか対応できないできごとが生ずるとき、そこではじめて近代的な意味での「歴史」と重なる歴史が開始されるのだ。それでもそこでは、この日付を含む「歴史」は、やがてプラティーク・レベルの歴史と弁証法的に反応しあい、神話的思考によって融合されていく。

歴史はプラクシスによってのみ創造されていくとする近代の歴史意識の根本的誤謬がここにある。近代の歴史は、むしろ諸政治革命が典型であるように、理想をかかげるプラクシスの合理性が、近代社会に固有の非合理化されたプラティークのレベルの情念や情動によってしばしば覆され、血まみれの泥沼と化することでその誤謬をみずからあきらかにしている。

グローバリズムの終焉と知の変革

丸山眞男の誤謬の分析であきらかになったことは、丸山に限らず、戦後民主主義や戦後リベラリズムの知ではもはや現状の分析さえも可能ではなく、ましておのれを超え、脱近代の知と世界を展望することは不可能となったことである。

たとえばチョムスキーがそうであるが、わが国でもリベラリズムの基底的概念は自由ではなく「正義」であるとし、正義の復権こそが「戦後日本社会の根本的な自己改革」に結びつくとする主張がある（井上達夫「リベラリズムをなぜ問うのか」『創文』五一九号、二〇一〇年）。だが道徳と倫理ですでに見てきたように、正義はプラクシスのレベルの観念あるいは概念にすぎない。非西欧近代社会では、そもそも「正義」なる単語も概念もない。ホピでは《スンータ》（ーはグロッタル・ストップ）という語はあるが、それは「公正」の意味で、かなり経済的・物質的概念である。むしろプラティークのレベルで「正義」に対応するのは、「ホピ」か「カ・ホピ」かという価値の仕分けである。ホピであるというのは、平和で礼儀正しく、倫理的・美的にふるまうなど人間としての理想をいい、「カ」はその強烈な否定である。「カ・ホピ！」という叱責は、子供にとってもっともきびしい躾のことばである。すなわち「正義」は、プラクシス・レベルの、しかも西欧近代に固有の価値観にすぎない。感性や身体をも統合する概念でない限り、それは西欧近代の限界を超えることはできない。

あるいはかつて新保守主義者――アメリカ新保守主義は民主党リベラル右派から生まれたことを忘れてはならない――であったフランシス・フクヤマは、近未来において世界がすべてアメリカ流の近代民主主義と自由な市場経済に移行し、その意味で「歴史の終焉」

を迎えると説いたが、この言説自体がまさに「近代の知の終焉」をあきらかにしている。なぜならすでにルソーが批判したように近代民主主義はきわめて観念的であり、いわゆる未開のロングハウス・デモクラシー（ルソーはアメリカ・インディアンのそれをよく知っていた）やイジマー（合意）にもとづくイスラーム民主主義など、プラティーク・レベルの感性的・身体的知恵を含む非近代の民主主義に構造的に劣っているからである。また自由な市場経済なるものも、近代資本主義のハイパー的形態にすぎず、これもすでにマルクスが批判していたように、弱い階層や弱い種族の収奪や搾取であるという潜在的不公平性は依然として解消されず、しかも金融危機以後のグローバリズム崩壊に対応できず、世界を混沌とした状況に導いているからである。

そうかといってサミュエル・ハンティントンが説く「諸文明の衝突」が正しいとはいえない。なぜならそれは、文明そのものが諸種族の相互作用の弁証法によって成立し、しかもたんなるプラクシスではなく、身体的・感性的なプラティーク・レベルの歴史的循環のうえに成立してきたことについてまったく無知な言説にすぎないからである。今後の世界は、近代文明とイスラーム文明など「諸文明の衝突」ではなく、むしろ相互の影響によって諸文明が新しい変容をとげていくような世界であるべきであり、またそうなっていくにちがいない。

しかしそのような世界にむかうとしても、知の変革が先立たなくてはならない。なぜなら感性的・身体的なものをも統合する知のみが、一見衝突状態にあるようにみえる諸文明を全体的に認識し、諸文化の多様性のうえに人類の未来を構築する展望を切り開くことができるからである。はたしてそのような知を構築することは可能なのか。

脱近代の知

この問いは、人間にとってなにが普遍的であるか、いいかえれば、近代の「普遍的人間性」の概念をどう脱構築していくか、という問いに還元される。

道徳や正義の問題で言及したように、プラクシスのレベルで作りあげられた社会や文化の体系は、文明により、あるいは種族により異なってくる。そこでは異種の文化の併存をたんに容認する文化相対主義にとどまるか、あるいは諸文明の衝突をそのまま前提とするほかはない。もちろん文化の多様性は、生物の多様性同様、人類や地球の生命の存続にとって不可欠である。だが文化の多様性は逆に、プラクシスのレベルではなく、プラティークのレベルによってのみ保障されるのであり、さらに逆説的にきこえるかもしれないが、それぞれの文明や種族に固有のプラティークのレベルのみが、倫理で言及したように、人間の普遍性の保証となるのだ。なぜならそこは、生物学的な存在としてのヒトと、社会的・文化的存在としての人間とが統合される普遍的な場だからである。

ここで近代の合理性を支えてきたデカルト的二元論は完全に解体される。新しいというよりも、古来人間の知を支えてきた一元論的な全体論が復権する。人間存在の矛盾を前提としながら、それをより高い知において解消しようとしたヴェーダーンタや道教に遡るとともに、こうした知は現代の自然科学の最先端にも出現する。進化論の書き換えをうながす微生物科学の諸発見からはじまる脱《ポスト》ダーウィン主義生物学や脳科学、微視的世界と巨視的世界との二元論によって袋小路に陥った標準理論を大幅に書き換え、両者の一元論的解釈によって世界の究極の構造と多次元の宇宙をあきらかにしはじめた物理学や数学などがそれである（拙著『近代科学の終焉』藤原書店、一九九八年、参照）。

そこでは真理は一見抽象的な演算で示される。だが世界が基本的に対称《シンメトリー》によって成り立ち、対称の破れは高次元に移された超対称《スーパーシンメトリー》によって解消されるとする「演算」は、ヒンドゥーや道教の知恵と一致する。それだけではない、必然と偶然、決定論と確率論などといった認識論的な対立や矛盾も、論理的・数学的に、いわば超対称として解消される。人間科学においても同様である。すでに「未開」の思考でみてきたように、プラティーク・レベルの人間の認識は、種族によって具体的表現は異なるが《鷲（またはコンドル）》と《蛇》、あるいは《桜》と《紅葉》といった基本的に《記号の対称《シンメトリー》》によって展開されている。それらは対称をあつかう数学である群論によって処理可能であるし、人間存在や社会のさまざまな矛盾も、プラクシス・プラティーク両者を弁証法的に統合する知によって、いわば超対称として認識論的に克服することもできる。こうした知はまたプラクシス的行為を通じて、社会の改革や変革に寄与するにいたるであろう。

いずれにせよわれわれはいまや、こうした諸科学の進展によって脱近代の知を構築する入口に到達したといえる。人間の新しい普遍性の発見にもとづく脱近代の知は、やがて世界そのものの変革を主導するにちがいない。

（『環』Vol. 43、藤原書店、二〇一〇年一〇月）

あとがき

今私は、齢九〇を越え、二度に亘る脳梗塞を体験した。最早残り少ない時間で本書が最後の本になるかもしれない。

この九〇年余、色々なことはあったが、思い残すことや後悔は何もない。感謝でいっぱいである。そういう意味では、たいへんに幸せな生涯であったと思っている。

私は、七〇年近い執筆活動の中、常に〝人間とは何か〟について思考を廻らせてきた。その発端は、ホピ族との出会いである。それが、私の生涯を決定した、と言っても過言ではない。そのホピについて書いた論文を一番最初に認めてくれた人が、片山敏彦さんである。片山さんには感謝の言葉以外ない。それがなかったら、今の私は存在していないかもしれないからである。

「我が生命の終わり、その魂は、ホピの力となる」

私は、この本を自分の知の集大成の書として書き上げた。過去幾多の本を出版してきたが、本書で、これらのことのすべての繋がりが明確になったと思う。読者諸賢のご批評を仰ぎたい。

藤原書店社主の藤原良雄さんとは、もうかれこれ四〇年近いお付き合いである。藤原さんが新評論の編集長時代、〈シリーズ・プラグを抜く〉を刊行された時、『近代知の反転』という編集本を協力させてもらったのが最初の出会いだったと思う。今は亡き伴侶、青木やよひのフェミニズムの本も出版していただいた。青木ともども、藤原さんとは一緒に人生を歩いてきた気がする。最後の出版でもお世話になることができたのは望外の幸せである。

そして最後に、老い先短い私を心底から支えてくれた妻雅子に、深甚なる感謝を捧げたい。

北沢方邦

二〇二〇年春三月

北沢方邦著書一覧（単行本として出版されたもの）

【単　著】

一九六七　『音楽の意味の発見』　三一新書
一九六八　『七つの肖像――現代作曲家論』　合同出版
一九六八　『構造主義』　講談社現代新書
一九六八　『黙示録時代の文化』　せりか書房
一九七〇　『情報社会と人間の解放』　筑摩書房
一九七一　『音楽に何が問われているか』　田畑書店
一九七二　『野生と文明――アメリカ反文化の旅』　ダイヤモンド社
一九七三　『反文明の論理――管理社会と文化革命』　すずさわ書店
一九七三　『神話的思考の復権――管理社会批判』　田畑書店
一九七六　『ホピの太陽――現代文明批判』　研究社出版
一九七七　『文明の逆転――脱管理化社会の思想』　第三文明社
一九七九　『日本人の神話的思考』　講談社現代新書

一九八一『天と海からの使信――理論神話学』朝日出版社
一九八六『メタファーとしての音――音楽的知の記号学』新芸術社
一九八九『知と宇宙の波動――ポスト・モダニティをめざして』平凡社
一九九一『日本神話のコスモロジー――常世の潮騒を聴く』平凡社
一九九二『蛇と太陽とコロンブス――アメリカインディアンに学ぶ脱近代』農山漁村文化協会
一九九三『数の不思議・色の謎――日本文化の記号を読み解く』広済堂出版
一九九五『歳時記のコスモロジー――時の声を聴く』平凡社
一九九六『ホピの聖地へ――知られざる「インディアンの国」』東京書籍
一九九八『近代科学の終焉』藤原書店
二〇〇二『感性としての日本思想――ひとつの丸山真男批判』藤原書店
二〇〇三『風と航跡』藤原書店
二〇〇三『脱近代へ――知／社会／文明』藤原書店
二〇〇四『古事記の宇宙論』平凡社新書
二〇〇五『北沢方邦音楽入門――広がる音の宇宙へ』平凡社
二〇〇八『ヨーガ入門――自分と世界を変える方法』平凡社新書
二〇一〇『目にみえない世界のきざし 詩集』洪水企画

【編著・共編著】

一九七〇　沖浦和光　北沢方邦編『講座マルクス主義　第5巻　芸術』日本評論社

一九七〇　北沢方邦編『文明は死の行進をはじめた』三一書房

一九七七　北沢方邦編『新しい社会主義像を求めて』第三文明社

一九八三　北沢方邦編『近代知の反転』（シリーズ・プラグを抜く　2）新評論

【共　著】

一九五三　柴田南雄　入野義郎編『音楽読本――楽典・和声・楽式・音楽史』東京音楽書院

一九五四　塚谷晃弘編『二十世紀の音楽――作曲家と作品』（音楽之友新書　第2巻）音楽之友社

一九五九　『ロマン・ロラン全集　第22巻　音楽研究　第3）』みすず書房

一九五九　阿部知二他編『講座現代芸術　第7巻（今日の芸術）』勁草書房

一九五九　『オペラ全集――対訳　第8巻（グノー、トーマ、マスネー、ビゼー）』平凡社

一九六〇　阿部知二他編『講座現代芸術　第6巻（現代芸術の理論）』勁草書房

一九六〇　林茂編『女声コーラス73歌集』新興楽譜出版社

一九六四　『20世紀を動かした人々　第7巻』講談社

一九六六　『現代百科小事典』ぺりかん社

一九六八　ジャン・プイヨン編『構造主義とは何か』みすず書房

一九六九　桑原武夫　加藤周一編『岩波講座哲学　第14巻　芸術』岩波書店
一九七三　津村喬他『続・複製時代の思想』富士ゼロックス
一九七四　久野収　神島二郎編『「天皇制」論集』三一書房
一九九六『レコード・イヤーブック　一九九六』音楽之友社
二〇〇一　鈴木成文監修、杉浦康平編『「まだら」の芸術工学』工作舎
二〇〇三　坪野春枝編『想い出の詩——ア・カペラコーラス』ケイ・エム・ピー
二〇〇五　富田虎男　スチュアート・ヘンリ編『講座世界の先住民族——ファースト・ピープルズの現在　7　北米』明石書店

【翻訳・共訳】

一九六六　ロマン・ロラン『ロマン・ロラン全集第25（ベートーヴェン研究　第3）第九交響曲』みすず書房（蛯原徳夫と共訳）
一九六七　ロマン・ロラン『ベートーヴェン第九交響曲』みすず書房（蛯原徳夫と共訳）
一九六九　ピエール・シトロン『バルトーク（永遠の音楽家　8）』白水社（八村美世子と共訳）
二〇一〇　マイケル・ハミルトン・モーガン『失われた歴史——イスラームの科学・思想・芸術が近代文明をつくった』平凡社

北沢方邦略年譜（一九二九―　）

一九二九(昭和4)年　0歳　11月29日、静岡県磐田郡見付町に生まれる。父・北澤直次、母・愛。

一九三一(昭和6)年　2歳　父の転勤で愛知県碧海郡大浜町に転居。

一九三五(昭和10)年　6歳　大浜小学校入学。大連市に転居、伏見台小学校に転校。

一九三七(昭和12)年　8歳　7月、日中戦争はじまる。

一九三八(昭和13)年　9歳　妹満理子出生、父の病気で見付町に転居、見付小学校に転校、父死去。

一九四一(昭和16)年　12歳　東京に転居、御殿山小学校に転校。12月8日、太平洋戦争はじまる。

一九四二(昭和17)年　13歳　東京府立電機工業学校入学。

一九四五(昭和20)年　16歳　8月15日、太平洋戦争終了。

一九四六(昭和21)年　17歳　東京府立電機工業学校卒業。片山敏彦を知り、文通。

一九四七(昭和22)年　18歳　みすず書房入社、編集部に勤務。

一九四八(昭和23)年　19歳　堀辰雄・片山敏彦らの同人誌『高原』に小品を寄稿。同じ頃守田正義に師事、音楽を研究する。

一九五二(昭和27)年　23歳　『音楽芸術』誌に「ベーラ・バルトーク」を寄稿。音楽評論家として出発する。

一九五三(昭和28)年　24歳　柴田南雄・入野義朗の招きで東京音楽書院編集部に入社、楽譜出版にあたる。

一九五四(昭和29)年　25歳　青木やよひと結婚。同じ頃丸山眞男に私淑し、社会科学を学ぶ。

一九五五（昭和30）年　26歳　名古屋大学文学部非常勤講師として音楽社会学を講ずる。

一九五六（昭和31）年　27歳　吉田秀和・入野義朗の招きで桐朋学園短期大学音楽科講師となる。

一九六〇（昭和35）年　31歳　日米安保条約改訂反対運動の渦中で、「民主主義を守る音楽家の会」結成にあたる。

一九六一（昭和36）年　32歳　桐朋学園大学音楽学部設立に参画、同講師となる。4月、国際音楽会議「東と西の出会い」に参加。10月、片山敏彦死去。

一九六三（昭和38）年　34歳　桐朋学園大学助教授となる。

一九六四（昭和39）年　35歳　エルネスト・アンセルメに会い、『朝日ジャーナル』誌、『日本読書新聞』などにその記事を書く。安東仁兵衛主宰の『現代の理論』誌に時評を連載。同じ頃レヴィ＝ストロースの『野生の思考』に出会い、知的衝撃を受ける。

一九六七（昭和42）年　38歳　三一新書で『音楽の意味の発見』を刊行。総合雑誌『展望』7月号に論文「現代文化批判」を掲載、構造論的方法による批評に大きな反響をよぶ。

一九六八（昭和43）年　39歳　評論集『黙示録時代の文化』刊行。活発となった学闘争で各地の全共闘に招かれ、講演をおこなう。音楽評論集『七つの肖像――現代作曲家論』刊行。

一九六九（昭和44）年　40歳　『構造主義』刊行、30年にわたるロング・セラーとなる。

一九七〇（昭和45）年　41歳　評論集『情報社会と人間の解放』刊行。大学闘争終了。

一九七一（昭和46）年　42歳　アメリカ合衆国国務省招待で青木やよひとともに渡米、二ヶ月にわたり視察、文化革命や女性解放運動の実態にふれ、ホピとナバホに接触し、大きな影響を受ける。その報告を『朝日ジャーナル』誌に連載、『野生と文明』としてまとめる。音楽評論集『音楽に何が問われているか』を刊行。小田実・柴田翔らの同人誌「人間として」7号に実験小説「囚われ

――言語の海のオデッセイアー」を寄稿。

この年、ヨーガをはじめ、楽器シタールを手にし、インド古典音楽に親しむ。

一九七二(昭和47)年　43歳　桐朋学園大学音楽学部教授となる。演劇科卒業生たちとパフォーマンス・グループＫＩＶＡを結成、グロトフスキの理念やリチャード・シェクナーの提唱する《集団即興》の方法にもとづく実験的演劇活動をはじめる。

一九七三(昭和48)年　44歳　『神話的思考の復権』、『反文明の論理』刊行。

一九七五(昭和50)年　46歳　佐藤B作らの応援をえて『ホピの書』を赤坂国際芸術家センターで上演。その後シェクナーやジョーン・マッキントッシュらの来日時などを中心に、ワークショップ形式の上演活動をおこなう。青木やよひと同行、ホピの村でひと夏、単独調査を行い、近代性を疑う根本的な衝撃を受ける。

一九七六(昭和51)年　47歳　ホピ体験を記述した『ホピの太陽』を刊行。3月、低レベルの学内紛争に失望し、桐朋学園大学を退職。6月、中日友好協会の招きで訪中。その秋、江田三郎のよびかけで、江田・矢野絢也・佐々木良作の主導する政治集団「新しい日本を考える会」に佐藤昇氏らとともに政策立案者として参加。同年の江田三郎の社会党離党と社会市民連合結成に参画。評論集『文明の逆転』刊行。夏の参議院議員選挙に、江田の社会市民連合と公明党・民社党の推薦を受け、静岡地方区から無所属で立候補、落選。秋、政策集団「21世紀クラブ」を結成、内田健三・大内秀明氏らと代表世話人となる。社会党・公明党・民社党・社会市民連合（後に社会民主連合）4党と総評などの応援を受け、これらを束ねた連合政権構想と政策を練る（九二年に、総評解散後の資金難で解散、その後同クラブは、矢野絢也主宰のグループに継承される）。

一九七八(昭和53)年　49歳　洋上大学「交流の箱舟」

に講師として参加。

一九七九(昭和54)年　50歳　東京大学教養学部非常勤講師となる。11月、信州大学教養部教授となる。『日本人の神話的思考』刊行。

一九八一(昭和56)年　52歳　『古事記』『日本書紀』各『風土記』などの神話を構造論の方法によって分析した『天と海からの使信』を伊丹十三の推薦で刊行。

一九八三(昭和58)年　54歳　『近代知の反転』刊行。パフォーマンス・グループKIVAの最後の公演「演劇の死と再生」を西武スタジオ200で上演、その後グループを解散。

一九八四(昭和59)年　55歳　青木やよひとともに、ホピにて長期単独調査。

一九八六(昭和61)年　57歳　『メタファーとしての音』刊行。

一九八八(昭和63)年　59歳　芸術評論集『沈黙のパフォーマンス』刊行。

一九八九(平成元)年　60歳　『知と宇宙の波動』刊行、還暦をかねて出版記念パーティーを行う。

一九九一(平成3)年　62歳　杉浦康平氏のデザインで『日本神話のコスモロジー』を刊行。

一九九二(平成4)年　63歳　コロンブス五〇〇年祭の反祝賀出版として、一九八四年のフィールド・ノートを中心とした『蛇と太陽とコロンブス』を刊行。

一九九三(平成5)年　64歳　『数の不思議・色の謎』刊行。

一九九四(平成6)年　65歳　青木やよひに同行し、国際社会学会に参加のため、はじめてヨーロッパを訪れ、ドイツ、オーストリア、ハンガリー、チェコスロヴァキア(当時)を歴訪する。

一九九五(平成7)年　66歳　杉浦氏のデザインで『歳時記のコスモロジー』を刊行。3月、信州大学教養部を停年退官、同大学名誉教授となる。

一九九六(平成8)年　67歳　「東京の夏音楽祭」の「神楽歌のコスモロジー」に出演。4月、神戸芸術工科大学・同大学院教授となる。

『ホピの聖地へ』刊行。

一九九八(平成10)年　69歳　『近代科学の終焉』刊行。

二〇〇〇(平成12)年　71歳　神戸芸工大を定年退職。

二〇〇二(平成14)年　74歳　『風と航跡』、『脱近代へ――知/社会/文明』刊行。

二〇〇四(平成16)年　75歳　『古事記の宇宙論』刊行。

二〇〇五(平成17)年　76歳　『北沢方邦音楽入門　広がる音の宇宙へ』刊行。

二〇〇六(平成18)年　77歳　1月、行き詰まった近代文明を打破し、新しい「知」を構築する目的で、青木やよひとともに「知と文明のフォーラム」を設立。

二〇〇八(平成20)年　79歳　『ヨーガ入門　自分と世界を変える方法』刊行。

二〇〇九(平成21)年　80歳　妻、青木やよい死去、享年82。

二〇一〇(平成22)年　81歳　『目にみえない世界のきざし 詩集』刊行。

二〇一一(平成23)年　82歳　この頃、本書の草稿を執筆。11月11日、鈴木雅子と結婚。

二〇一三(平成25)年　84歳　6月13日、脳梗塞で倒れる。左半身不随、視野狭窄等の症状が生じる。11月23日、北沢方邦台本の「インド大叙事詩『マハーバーラタ』による室内オペラ〈神の歌〉《バガヴァッド・ギーター》」が上演される（会場：サントリーホール　ブルーローズ）。

二〇一八(平成30)年　89歳　脳梗塞二度目の発作。

二〇二〇(令和2)年　3月、本書『世界像の大転換――リアリティを超える「リアリティ」』刊行。

マ　行

ラ　行

ワ　行

ナ　行

ハ　行

サ 行

タ 行

人名索引

「あとがき」を除く本文から人名を拾い，日本語表記の五十音順に姓名を配列した。外国人の姓以外のファースト・ネーム等は頭文字のみの表記とした。本文中で別名表記がなされている場合は，（　）内に記した。必要と思われるグループ名も含めた。

著者紹介

北沢方邦（きたざわ・まさくに）

1929年静岡県生まれ。信州大学名誉教授。構造人類学、音楽社会学、科学認識論専攻。1948年堀辰雄・片山敏彦らの同人誌『高原』に小品を寄稿。同じ頃守田正義に師事、音楽を研究する。1952年『音楽芸術』誌に「ベーラ・バルトーク」を寄稿して音楽評論家としてデビュー。以後、音楽教育に携わりながら、音楽評論を中心とした芸術評論で健筆をふるう。1964年レヴィ=ストロースの『野生の思考』に出会い、知的衝撃を受け、以後執筆された批評は構造論的方法に基づくものとして大きな反響をよぶ。1971年アメリカ合衆国国務省招待で、妻青木やよひとともに渡米、ネイティブ・アメリカンのホピとナバホに震撼させられ、近代性の失効をいかに乗り越えていくかということを生涯のテーマとするようになる。

著書は多数あるが、藤原書店からは以下の書籍が出版されている。『近代科学の終焉』（1998年）、『感性としての日本思想――ひとつの丸山真男批判』（2002年）、『風と航跡』（2003年）、『脱近代へ――知／社会／文明』（2003年）。その他多数の著書については、本書収録の著書一覧を参照のこと。

世界像《せかいぞう》の大転換《だいてんかん》　リアリティを超《こ》える「リアリティ」

2020年4月10日　初版第1刷発行©

著　者　北　沢　方　邦
発行者　藤　原　良　雄
発行所　株式会社　藤　原　書　店

〒162-0041　東京都新宿区早稲田鶴巻町523
電　話　03（5272）0301
ＦＡＸ　03（5272）0450
振　替　00160 - 4 - 17013
info@fujiwara-shoten.co.jp

印刷・製本　精文堂印刷

落丁本・乱丁本はお取替えいたします
定価はカバーに表示してあります

Printed in Japan
ISBN978-4-86578-267-7

脱近代の知を探る

近代科学の終焉

北沢方邦

ホーキング、ペンローズら、近代科学をこえた先端科学の成果を踏まえつつ人文社会科学の知的革命を企図し、自然科学と人文科学の区分けに無効を宣言。構造人類学、神話論理学、音楽社会学、抽象数学を横断し、脱近代の知を展望する問題の書。

四六上製　二七二頁　三二〇〇円
（一九九八年五月刊）
在庫僅少◇978-4-89434-101-2

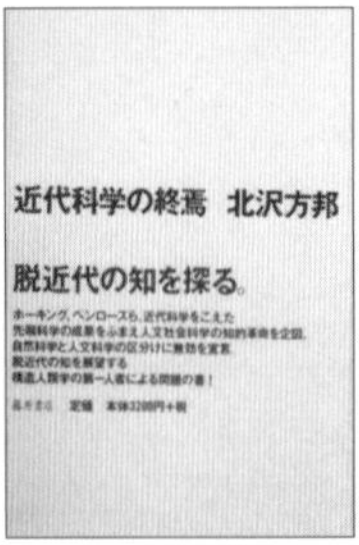

いま明かされる日本思想の深層構造

感性としての日本思想

〔ひとつの丸山真男批判〕

北沢方邦

津田左右吉、丸山眞男など従来の近代主義、言語＝理性中心主義に依拠する日本思想論を廃し、古代から現代に至るまで一貫して日本人の無意識、身体レベルに存在してきた日本思想の深層構造を明かす画期的な日本論。

四六上製　二四八頁　二六〇〇円
（二〇〇二年一一月刊）
品切◇978-4-89434-310-8

心象風景からみた激動の戦前・戦後史

風と航跡

北沢方邦

構造人類学者として知られる著者が心象風景と激動の歴史を美しい文体で綴った〝詩〟的自伝。牧歌的な幼年期、東京大空襲の黙示録的光景、草創期のみすず書房、『野生の思考』の衝撃、ホピ族との出会い……芸術を始点とする自身の知的冒険とその背後に浮かびあがる激動の戦前・戦後史。

四六上製　四〇〇頁　三六〇〇円
（二〇〇三年三月刊）
◇978-4-89434-330-6

総合的に説く脱近代への道

脱近代へ

〔知／社会／文明〕

北沢方邦

行き詰まるグローバル化の諸相を「近代理性の限界」という視点、超学問的（トランスディシプリナリー）手法で読み解く。一専門分野の視点による数多の近代批判に一線を画し、諸領域を横断。新しい人権概念・人間観・社会像を構築し、あるべき社会建設の糸口を示す。

四六上製　二五六頁　二四〇〇円
（二〇〇三年五月刊）
品切◇978-4-89434-338-2